為《中华名人愛國故事选》題

继承愛國傳统

弘揚民族精神

嚴濟慈

中华名人爱国故事选

中

韩其洲 主编

ZHONGHUAMINGREN
AIGUOGUSHIXUAN

黑龙江少年儿童出版社

图书在版编目（CIP）数据

中华名人爱国故事选. 中 / 韩其洲主编. -- 哈尔滨：黑龙江少年儿童出版社，2016.7(2018.10重印)
ISBN 978-7-5319-4421-8

Ⅰ. ①中… Ⅱ. ①韩… Ⅲ. ①爱国主义教育－中国－少儿读物 Ⅳ. ①D647-49

中国版本图书馆CIP数据核字(2016)第116634号

中华名人爱国故事选(中)

韩其洲　主编

项目总监:张立新
统筹策划:顾吉霞　刘　嘉
责任编辑:顾吉霞　刘　嘉
插　　图:李秋红
封面设计:书籍装帧设计 QQ:2450277745
责任印制:姜奇巍　杨亚玲
出版发行:黑龙江少年儿童出版社
（哈尔滨市南岗区宣庆小区8号楼　150090）
网　　址:www.lsbook.com.cn
经　　销:全国新华书店
印　　装:永清县晔盛亚胶印有限公司
开　　本:787mm×1092mm　1/16
印　　张:14
书　　号:ISBN 978-7-5319-4421-8
版　　次:2016年7月第1版
印　　次:2018年10月第2次印刷
定　　价:28.00元

序言

柳　斌

中华民族是富有爱国主义光荣传统的伟大民族。爱国主义是动员和鼓舞中国人民团结奋斗的一面旗帜，是推动我国社会历史前进的巨大力量，是各族人民共同的精神支柱。

习近平总书记指出："实现中国梦必须弘扬中国精神。这就是以爱国主义为核心的民族精神，以改革创新为核心的时代精神。这种精神是凝心聚力的兴国之魂、强国之魂。"习总书记最近又强调要"在广大青少年中开展深入、持久、生动的爱国主义宣传教育，让爱国主义精神在广大青少年心中牢牢扎根，让广大青少年培养爱国之情、砥砺强国之志、实践报国之行，让爱国主义精神代代相传、发扬光大。"我们要深刻领会和贯彻落实习总书记的讲话精神，扎扎实实地把爱国主义教育落实到儿童和青少年当中去。

爱国主义是一个历史范畴，具有鲜明的时代特征。在社会发展的不同阶段、不同时期，有不同的具体内涵。历史上的爱国主义者，尽管受到时代和阶级的局限，表现出不同的思想和行动，但他们都不同程度地顺应了历史发展的潮流，或在一定程度上代表了历史发展的方向。他们为祖国的富强和人民的自由与幸福做出了自己的宝贵贡献。

特别应该指出的是，一部中国近现代革命运动史，同时也是一部中国近现代爱国运动史。爱国主义的强大精神力量，鼓舞和激励着全国各族人民，进行不屈不挠的革命斗争。我们尤其不能忘记的是，在日本侵略者悍然发动侵华战争的民族危难时刻，中华儿女冒着敌人的炮火同仇敌忾、共赴国难、浴血奋战、视死如归，奏响了一曲气壮山河的抗击日本侵略者的英雄凯歌，用生命和鲜血谱写了一首感天动地的抗击外敌入侵的壮丽史诗。那些为国捐躯的抗日英雄，永远活在我们的心中！

新中国成立后，在祖国的各条战线，同样涌现出了大批的爱国英雄和模范人物，他们为建设祖国和保卫祖国做出了杰出的贡献。特别是在改革开放新的历史时期，他们是践行爱国主义的标兵和楷模，为国家的社会主义现代化事业做出了非凡的业绩，值得我们学习和赞扬。

进行爱国主义教育，是践行社会主义核心价值观的重要内容。榜样的力量是无穷的。运用古代、近代和现代史上出现的许多杰出人物的爱国事迹，对青少年进行爱国主义教育，是一种很好的形式。黑龙江少年儿童出版社出版的这套书，讲述了中华民族古往今来百余位著名人物的爱国故事，情节生动，事迹感人，是对广大青少年进行爱国主义教育的好教材。

我们要从小做起，让儿童少年爱父母、重亲情、懂感恩，学会关心他人，立志报效祖国。大力加强爱家乡、爱人民、爱祖国的教育，通过敬国旗、唱国歌、爱母语，学习英模人物，继承历史文化传统；大力加强理想信念教育， 抵制错误腐朽思想，弘扬爱国主义、集体主义、社会主义理想；广泛开展民族精神教育，增强民族自尊心、自信心、自豪感，增进对伟大祖国和中华民族的认同；激励青少年把爱国热情化作振兴中华的实际行动；以热爱祖国和贡献自己全部力量建设祖国为最大光荣，以损害祖国利益和尊严为最大耻辱。把个人的成长成才融入到祖国和人民的伟大事业之中，以实际行动创造无愧于时代的辉煌业绩。

让我们更高举起爱国主义旗帜，为实现中华民族伟大复兴的中国梦阔步前行！

2016 年 6 月 3 日于北京

（柳斌同志：原国家教委副主任、党组副书记，原国家教委、教育部总督学）

目　录

重建祖国南大门

——清末名将冯子材的故事

中法战争是法国侵略越南进而侵略中国而引发的一场战争。法国侵略者占领越南之后，张牙舞爪地直逼我国南方大门镇南关。当时的广西巡抚是个怕死鬼，他扔下了大批军队自行逃跑，致使镇南关失陷。侵略军进关后，一把火烧光了关里的全部设施，并叫嚣着要拿下广西。广西形势危急，全国大为震动。

清政府在全国人民坚决要求抗战的压力下，不得已下令起用著名老将冯子材为广西军务帮办，负责保卫广西。当时，他已年近70岁，退休在钦州老家。亲友们都认为他太老了，带兵打仗太危险，纷纷劝他上书推辞。冯子材激动地将银白的胡须一拨，大声地说："敌人已经到了我国的南大门，广西快要被那些胆小鬼断送了，中国要被他们出卖了，我再也待不住了！我是个军人，马革裹尸正是军人的本分。"他拒绝了亲友的劝告，带着自己的两个儿子和临时召集的两营广东军队，连夜开赴广西前线。

在开赴边境的途中，冯子材看到沿路都是从前方溃退下来的三五成群的散兵，到处都是拖男带女哭哭啼啼往后方逃难的百姓，他痛心极了、愤恨极了。他发出命令，一方面收编散兵游勇，一方面做好安定民心的宣传工作。冯子材在军民中一向有着崇高的威望，大家听说老将挂帅，都振奋不已，重新集合在冯字帅旗之下，准备同侵略者决一死战。

这时候，占领了镇南关的侵略军狂妄地叫嚷："广西的门户已不存在了!"爱国军民们则针锋相对，连夜写下"我们将用侵略者的头颅重建我们的门户"的标语，表现了中国人民同仇敌忾反抗侵略的坚强决心。

冯子材一到前线，立即认真勘察地形，选定了镇南关内十里的关前隘作为同敌人决战的战场。这里是敌人进军的必经之路，而且是个山连着山的险要地带，居高临下，进可以攻，退可以守。他带领爱国军民在山腰筑了一条三里多长的弧形土墙，墙内挖下战壕，就埋伏在壕内，严阵以待。

开战以来，由于投降派将领总是闻风逃跑，敌人还未遇上有力的抵抗，因此侵略军根本不把中国军队放在眼里。一天，敌人向关前隘扑过来了。他们有的吹着口哨，有的哼着小调，叽哩呱啦，大摇大摆。看着敌人骄横的模样，冯子材气得眼中冒火、须眉倒竖。等敌人快接近土墙时，他大吼一声："开火!"一时间，来复枪、鸟铳、土大炮同时向敌人喷射，打得敌人血肉横飞，尸体横七竖八地陈列在山坡上。敌人遭到突如其来的反击，用几十门开花大炮疯狂地向我军阵地轰击。顿时，炮弹的呼啸声、爆炸声，震天动地，山鸣谷应。我军阵地上硝烟弥漫、土石飞溅，多处土墙被轰塌，战斗非常激烈。这时，冯子材下了一道严厉的命令："退缩者杀。"他自己也以身作则，坚持战斗。炮弹不断地在他的前后左右爆炸，爆炸的气浪冲得他那银白的长须不断地在胸前飘动，而他却像钢铸石雕一般，岿然不动。老帅的大无畏精神鼓舞了广大战士的斗志，大家都以老帅为榜样，互相激励，坚持战斗。

激烈的战斗一直坚持到第二天的清晨。这时，山间大雾迷漫，十步之外，不辨人马。敌人以为是好机会，在雾幕的掩护下冲了上来，少数法军已从土墙缺口冲入墙内。在这千钧一发的关头，只见冯子材头裹布巾，脚蹬草鞋，手执长矛，振臂高呼，首先跃出战壕，一矛刺倒了最前面的一个敌人。他的两个儿子也跟着拔刀冲了出去。战士们也跟着奋勇而上，在山坡上同敌人展开了激烈的肉搏战。喊杀声、刀剑碰击声、敌人死亡前的嚎叫声，震动山岳。附近各族人民闻讯，也从四方八面纷纷前来助战。中国军民气贯长虹，完全压倒了敌人的气焰。侵略者被杀得人仰马翻，鬼哭狼嚎，只恨少生两翼，狼狈溃逃。

中国军队收复镇南关后，乘胜追击。侵略者一听到冯子材的名字，就亡魂丧胆，草木皆兵，丢下大批辎重逃命。中国军队一举攻下文渊、谅山等地。

这一仗，1000 多名侵略军丧命，数十名军官被歼，主帅尼格里身负重伤，侵略者遭到了惨重的失败。

当时，曾有人写诗描写这一战役的情况：

连夜苦战不闻金，枕藉尸填巨港平。

群酋存者戴头走，前军笳吹报收城。

这首诗形象地描写了冯子材率领中国军民勇敢杀敌的英雄气概和秋风扫落叶一样的进军声威，描绘了侵略者惨重失败和狼狈逃窜的丑态。

这一战役震惊中外，法国政府茹费里内阁也因此仗失败而下了台。这一仗大长了中国人民的志气，大灭了帝国主义的威风，并给了侵略者有力的教训——中国人民是不好惹的。

（选自《爱国人物故事选》，作者谭绍鹏）

冯子材 (1818 年—1903 年)，清末抗法名领，广东钦州 (今属广西钦州) 人。早年曾镇压太平军，1885 年退职后重返军营任广西关外军务帮办，率兵在镇南关 (今友谊关)、谅山大败法国，后历任广西、贵州提督等职。

“忠义军”抗击老沙皇

——抗俄英雄刘永和的故事

19 世纪末，俄国沙皇政府在强行霸占了我国黑龙江以北、乌苏里江以东的大片国土之后，又越过黑龙江、乌苏里江，把侵略的魔爪伸向我国的东北地区。1900 年 7 月，俄国沙皇尼古拉二世动员 17 万大军，分成 7 路，全面入侵我国东北地区，所到之处，奸淫掳掠，无恶不作。

面对沙俄的侵略，东北各族人民纷纷奋起反抗。在抗俄的义军中，刘永和率领的“忠义军”最为有名。

刘永和原籍山东，因为家里贫穷，便跟随父母“闯关东”，以打猎为生。他目睹许多父老兄弟死在了敌人的铁蹄之下。沙俄军队根本不把中国人当作人，占领我们的国土，杀害我们的同胞，这让从小就见义勇为的刘永和心中燃起了反抗复仇的怒火。

贫困的生活使他不得不每天在森林里狩猎，也因此练得了一手好枪法。他还精通武艺拳术，人们都称他为“神枪手”“马刀王”。

有一天，他在森林里追踪一只野狼，路上看见几个俄国士兵强奸一名中国妇女，为首的就是住在镇上的哥萨克军官。刘永和早就认识这个双手沾满中国人民鲜血的刽子手。今天他撞到自己的枪口上来了，还能放他走吗？刘永和瞄准俄国军官，“叭”的一枪，那名军官应声倒地，其他士兵丢下枪支，抱头就跑。刘永和打死俄国军官的消息很快就传开了。老百姓们眉开眼笑，暗暗称赞；敌人则恨之入骨，四处追捕刘永和。但森林就是刘永和的家，到哪里去寻找他呢？

为了抗俄，刘永和串联一些破产的农民、失业的矿工、伐木工和猎户，又联合一部分游散的清军士兵，组织起一支队伍，号称“忠义军”，刘永和被推举为“忠义军”首领。“忠义军”组织很严密，他们的口号是“御俄寇、复国土”“毁铁路、攻沈阳”。他们军纪严明，对群众秋毫无犯，得到广大群众的支持和拥护。“忠义军”在哈尔滨到牡丹江一带，不断打击俄国侵略军。

后来，“忠义军”攻下了吉林省南部的通化、海龙等县城，并以此为根据地，扩充军队达10余万人。他们分散出击，不断消灭敌人。

1901年4月，俄军将领高里巴尔斯纠集大批俄国侵略军，进攻“忠义军”根据地——通化，企图捣毁“忠义军”的指挥部。面对气势汹汹的敌人，刘永和镇定自若。他回到营盘里，召集各路兵马，开会布置战局。

会议开始后，刘永和细心地听取每个将领的意见，然后抓起木炭，在桌子上画了一条指向通化的黑线，说：“敌人动员十几万正规兵马，直插通化，想一下子把我们吃掉。我们守住通化有什么用？我们应该马上撤走，让他们扑个空。如果他们在通化住下来，那正好中了我们的圈套，我们就以分散的、一小股一小股的力量，不断地袭击他们。就好像一群蚂蚁咬住一只蚂蚱一样，叫它插翅难逃!”刘永和说到这里，又向长春的方向画了一个箭头，说：“同时，我们派出一支几万人的部队，直逼敌人的老巢——长春，待高里巴尔斯调转枪口回长春时，我们就在半路消灭他！”

“忠义军”在刘永和的指挥下采取了十分灵活的战术，他们全部撤出通化，分散在树林里、山头上。白天埋伏起来，天黑后当敌人准备休息时，就出动小股部队，到处偷袭敌军。俄国人刚到这里，人地生疏，活像一只落入蚂蚁窝里的蚂蚱，四面受敌，但又摸不清刘永和的主力在哪里，日子很不好过。

这时，刘永和的主力部队却出现在敌人的后方，声势浩大，声称要攻打长春。长春守敌派人通知高里巴尔斯，要他回兵援增长春。俄军完全按照刘永和的布置行事，他们在回长春的半路上，遭到了刘永和的拦截痛打。血战了两天两夜之后，“忠义军”杀死了许多俄国士兵，缴获了大批武器弹药，得胜后又立即撤走。当高里巴尔斯折了兵马回到长春时，“忠义军”已走得无影无踪了。俄国侵略军两头扑空，四处挨打，这才知道上了刘永和的当。

在刘永和率领的“忠义军”的沉重打击下，沙皇政府不得不稍稍收敛了他们的侵略气焰。1902 年 4 月俄军在东北三省人民的打击下，被迫在北京同清朝政府签订了中俄《交收东三省条约》，答应将东三省归还中国。

（选自《爱国人物故事选》，作者苏长仙）

刘永和（约 1841 年—?），清末东北自发抗俄武装首领，吉林海龙人，原籍山东。1900 年举义率众抗击沙俄入侵东三省。1911 年，曾联名致电孙中山支持革命，后病死于家乡。

“断不受俄人之逼迫”

——外交家杨儒的故事

1901 年 1 月，正是俄国最冷的季节，尖厉的寒风夹着冰粒在空中肆虐。这时，中国驻俄使官杨儒正同沙俄财政大臣维特、外交大臣拉姆斯多夫在彼得堡展开一场针锋相对的斗争。

沙俄趁八国联军入侵，派兵侵占了我国的东三省，逼迫清政府签订出卖东北的条约。清政府任命杨儒为谈判代表，并电令杨儒：签约与否由你根据情况“自行决断”。维特得知签约的关键只在杨儒身上，便对他软硬兼施，逼迫他签字。杨儒据理力争，驳倒了维特的一个个谬论。维特碰了钉子，装着笑脸又来诱骗说：“您不签字，想必是怕贵国政府以后加罪于您。这您不用担心，如果将来发生这个情况，我们俄国一定会出面干涉，加以保护。”

杨儒沉下脸，严正地说：“我是中国官员，为什么要俄国保护？这未免太不要脸了。”

就这样，杨儒在谈判桌上同俄国大臣交锋 22 次，不畏威吓，不受利诱，坚决捍卫祖国的神圣领土和尊严，毅然表示：“断不受俄人之逼迫！”

在杨儒坚持斗争的关键时刻，卖国贼李鸿章却受俄国人的贿赂，发电报给杨儒，说：“势处万难，不得不允，请酌情画押，勿误！”杨儒接到电报，气得浑身发抖，说："我是全权大使，决不做卖国大使!"

拉姆斯多夫见杨儒拒不签字，蛮横地吼道："给你15天期限，到时不签字，谈判破裂，一切后果均由中国方面负责!"说完，扬长而去。

沙俄强迫中方签字的消息传到国内，激起了中国人民的极大义愤，纷纷举行抗议集会。英日等国出于各自的私利，也反对清政府签字。迫于内外压力，清政府终于做出了拒签条约的决定。杨儒接到这份电报后，兴奋不已，带病坐上马车，冒着暴风雪，前去通知沙俄外交部。杨儒昂首挺胸地坐在车上，嘴角露出了胜利的微笑。

(选自《名人逸闻700篇》)

杨儒（1840年—1902年），清末外交官，举人出身。曾任驻美国、西班牙、秘鲁、俄国、奥地利、荷兰等国公使，1901年被任命为全权大臣与俄谈判收回东三省问题，拒绝在卖国条约上签字。1902年2月19日病逝于彼得堡住所。

为主变法　救亡图存

——思想家严复的故事

1877 年初秋，在英伦三岛的一所地方图书馆里，出现了一个每天都来借阅书刊的中国青年，他身穿英国格林尼茨海军学院的校服，无论是浓雾弥漫，还是风急雨骤，他每天在这里坚持埋头读书、记笔记。两年过去了，他精读了西方许多著名思想家的哲学和社会科学著作。图书馆的管理员和读者们都挺钦佩这个中国青年，背地里都赞不绝口地说："中国人就是坚韧不拔，有一股刻苦劲儿！"这个勤奋苦读的留学生就是严复。在留学英国期间，他不仅读了数以千计的图书，而且考试成绩也一贯名列前茅，优等证书拿了一大堆。对西方资产阶级的思想和文化，严复逐渐有了相当深刻的了解。

1879 年，严复从英国毕业回国了。第二年，来到天津，在北洋水师学堂当总教习，后来又升任总办，也就是当了校长，他在这里整整工作了 20 年。在 1884 年爆发的中法战争中，法国侵略军不宣而战，我福建水师虽英勇奋战，但是在敌人坚船利炮的突然袭击下失败了。腐败的清政府在陆战中奉行了一条投降主义路线，致使我国"不败而败"，法军"不胜而胜"，最后还是同法国签订了屈辱的条约。面对内忧外患，严复悲怆地说："不消 30 年，我国将要像一头老黄牛一样，让人家牵着鼻子走!"

1894年，甲午战争爆发了，穷凶极恶的日寇仗恃西方帝国主义的支持，打败了北洋海军，逼迫清政府签订了丧权辱国的《马关条约》。其他侵略者趁火打劫，掀起了瓜分中国的狂潮。在这种危急的形势下，严复拍案而起，站在反侵略的立场上疾呼：中国必须实行变法维新，向西方寻求救国图强的道理，万众一心，拯救祖国。为了把西方“富国强兵”的经验学到手，严复决定把他们关于社会科学和自然科学方面的学术著作翻译过来，介绍给中国人民。英国生物学家赫胥黎的《天演论》翻译出版后，引发了全国人民的共鸣，爱国救国的呼声空前高涨。严复再接再厉，又翻译了亚当·斯密的《原富》，介绍了西方的经济理论。后来他还翻译过《群学肄言》《法意》等一系列西方社会科学专著，极大地启发了中国人民的觉悟，激发了爱国人士的斗志。

与此同时，严复还怀着报效祖国的志向，连续撰写了《论世变之亟》《原强》《辟韩》《救亡决论》等令人耳目一新的政论。自从中国在甲午战争中惨败之后，中国人民悲愤填膺，但怎样才能救亡图存呢？许多爱国的志士仁人都在寻求这一答案。严复勇开先河，在《论世变之亟》中率先分析了这一问题。他指出：中国当前面临着亡国灭种的危机，中国要富强、要避免危亡的厄运，只有维新变法，学习西方资本主义国家的文化和制度，以敌人之长来制胜敌人。他号召中华儿女要奋发图强，发扬爱国精神，共同抵御外侮。他提出了救亡图存的三项措施——“鼓民力，开民智，新民德”，提倡科学的医药学，尤其要严厉禁止鸦片和妇女缠足。“鼓民力”就是要发展体育，使国民有健康的身体；“开民智”就是开发全国人民的智慧，反对封建顽固派所奉行的科举制度，效法世界上先进的教育制度和研究方法，学习自然科学常识，真正提高全民族的科学文化水平；“新民德”就是倡导和提高中国人民的道德修养和精神文明水平，反对几千年承袭下来的封建专制统治，让全体人民充分享受自由、民主和平等，设立议会，由人民群众选举地方官吏。这些主张在当时无疑是有一定进步意义的。

严复的这些民主观点给当时的思想界以深刻影响。1897 年，帝国主义列强瓜分中国已成“必至之事”了，严复深感民族危亡迫在眉睫，他日夜奔走，扩大维新变法的宣传，在天津创办了《国闻报》，后又创办了《国闻汇编》杂志。他的目的是及时把国内外的大事和新闻告诉人民，提高人民的觉悟和知识水平。戊戌变法期间，严复积极参与了这一场轰轰烈烈的运动，并且和光绪皇帝恳谈过一次。

那天是 1898 年 9 月 14 日，光绪皇帝召见了久已闻名的“中国精通西学第一人”严复，向他询问了变法维新和兴办中国海军的情况。严复详尽地答复了光绪皇帝提出的每一个问题。光绪黄帝很赏识严复的爱国热情和广博知识，很感兴趣地问：“你连续发表了许多文章，有什么最得意的文章吗？希望你推荐给我读一读。”严复郑重地回答道：“我今年写过一篇《上皇帝万言书》，重申了人定胜天的思想，只要彻底变革，正本清源，拨乱反正，必然会人治日新，祖国仍可得救，民族就可永存。社会将风清弊绝，人民会丰衣足食。”光绪皇帝听罢，惊喜地说：“是吗？那么你赶快把这篇文章给我看一看。”严复见光绪皇帝很有励精图治的决心，便高兴地说：“我还建议皇上到世界各国去看一看，增长见识，了解国外。另外还要到祖国各地看一看，不要总在皇宫里面深居简出，这样才能争取到全国人民的拥戴。”光绪皇帝听了这番话，长叹了一口气，难过地说：“我们中国守旧的人太多了，你的建议虽好，但恐怕不容易做到啊!”

严复见过光绪皇帝以后，就赶紧把《上皇帝万言书》誊抄了一遍，准备呈交给光绪皇帝。可是一周后，慈禧在 9 月21 日把光绪皇帝囚禁起来，并下令逮捕参加维新变法的人。

慈禧发动戊戌政变以后，变法维新运动被封建顽固派扼杀了。严复此后潜心进行了10年的翻译工作。1912年，“百日维新”运动中创建的京师大学堂改名为北京大学，严复担任了第一任校长，为北京大学的教学做出了贡献。毛泽东同志在《论人民民主专政》中说：“自从1840年鸦片战争失败那时起，先进的中国人，经过千辛万苦，向西方国家寻找真理。洪秀全、康有为、严复和孙中山，代表了在中国共产党出世以前向西方寻找真理的一派人物。”

（选自《中国近代爱国故事》，樊竟编著）

严复（1854年—1921年），近代启蒙思想家、翻译家，福建侯官（今闽侯）人。1877年留学英国，归国后任北洋水师学堂总办（校长），译著颇多，提倡西学，主张救国只有维新。他提出的“信、达、雅”标准，对后世的翻译工作产生了深远影响。

“为了父母之邦——中国”

——思想家康有为的故事

1895年4月初的一天，有一艘从香港开往天津的商船，下层甲板上站着两个书生打扮的人，凝神眺望着波涛浩渺的渤海。其中一位年纪约有三十七八岁，面容庄重，神态安详，披着御寒用的大氅，迎着呼啸的海风背手而立，另一位只有二十四五岁，长得清秀精干。他扶住中年人的肩膀，亲切地说：“康先生，这一回到北京应试，学生才薄智浅，不敢奢求功名。想先生博闻强识，学富五车，一定可以金榜题名，将来大显身手，一展胸中抱负，救国救民，成为祖国中兴的一代功臣！”中年人转身握住青年人的手，深沉地说：“启超，救国救民，改革弊政，使我中华古国成长为世界民族之林的参天巨木，不再受外国人的欺侮奴役，是我康有为梦寐以求的夙愿。为了这一天的到来，我决心赴汤蹈火，勇敢战斗！”青年人激动地说：“在追随老师学习的几年里，我梁启超效法老师，也把爱国二字时时放在心间。在今后的征途上，学生愿跟老师为拯救祖国而忘我奔走。”康有为高兴地端详着梁启超，欣慰地说：“中国有亿万爱国者，决不会灭亡的，你年轻有为，好好地干吧！”

师生二人正谈得起劲，猛然瞥见前面迎头驶来一艘汽艇，上面悬挂着“太阳旗”。一个水手走到他们身边说：“请二位回客舱去吧，前面就是大沽口，这艘日本汽艇就要派兵来船上检查。"康有为不解地问："大沽口是我国的港口，渤海也是我们的海域。日本人凭什么要来检查呢？"水手长叹了一口气说："二位有所不知，在去年的甲午海战中，咱们打了败仗。眼下李中堂（李鸿章）正在同日本人签订投降条约哩。这一带已经落入日本人的手里，他们横行霸道，可厉害呢，幸好这艘轮船挂的是英国米字旗，日本人只要看一下就会放行的。倘若挂着中国旗，日本人就会找麻烦了。"

梁启超少年气盛，气得两眼冒火，牙齿咬得嘎巴响，康有为紧握拳头，愤怒地说："中国若不变法图强，用不了多久，就会尽失主权，成为东西方列强的殖民地了！"这时，甲板上传来一阵杂沓的皮靴声、枪支碰撞声和骂人声，几个荷枪实弹的日本兵踢开了舱门，嘴里不停地嚷着"八嘎呀路"（混蛋），乱搜乱掏了一通，然后带着那种战胜者的嚣张，端着枪扬长而去……

康有为眼看日本侵略者在中国国土上如此狂妄放肆，气得浑身颤抖。他猛地一拳砸在桌子上，沉痛地说："必须立即维新变法，挽狂澜于既倒，否则我五千年的古国将沦为外人案板上的肉。启超，到了北京后，咱们就着手大干，给皇帝上书，要求彻底改革政治，务必振兴中华！"

在当天的日记上，康有为写下："偕启超乘船入京，行至大沽口外，日本人悍然搜船，我极为激愤。为了父母之邦——中国，我要立志改革，上书陈辞……"

4 月 30 日一大早，北京广安门内的松筠庵里，人头攒动，熙来攘往，群情激昂，康有为和梁启超约集全国 18 个省赴京会试的举人来这里开会。1000 多名担忧国运的知识分子云集一堂，同仇敌忾，强烈声讨丧权辱国的《马关条约》。原来在 4 月 17 日，卖国贼李鸿章在日本马关与日本首相伊藤博文签订了卖国条约——《马关条约》。条约规定：把中国的辽东半岛、台湾全岛及所有附属各岛屿和澎湖列岛割让给日本；赔偿日本军费两万万两白银，开放沙市、重庆、苏州、杭州为商埠。这个消息一传出，全国舆论哗然，反对割地投降的呼声和斗争立即在全国各地掀起。

刚到北京的康有为得知这个消息，怒火万丈，马上发动在北京考试的广东和湖南两省举人到清政府的都察院上书，要求拒绝条约，再战日本。其他16个省的举人也闻风而动，几天里，都察院门前车水马龙，人声鼎沸，激起了反签约的巨大声浪。康有为看到各地举人们爱国激情空前高涨，便当即决定联合赴京的18个省1000多名举人，来一次大规模的上书请愿。在他的四处联络下，这次大会如期召开了。

会议还没开始，台湾省籍的举人已是热泪盈眶，悲恸地向大家诉说台湾和祖国大陆血肉不可分的深情厚谊，痛切表示："宁做中华断头鬼，不做倭寇屈膝人。"誓死不离开祖国母亲的怀抱。上千名举人被台湾同胞火热的爱国之心所感动，人们振臂高呼："千古英雄，爱国同怀赤子之心!""莫说秀才难造反，爱国原不敢后人。""拼死保卫祖国的大好河山!"正在这时，只见康有为在梁启超的陪同下，健步登上了院子中央的一座石坛上，他镇静地环顾了一下会场，然后发表了演说："诸位同胞，我们如果把台湾割让于日寇，那么早就红了眼的英、俄、法等国必然会一拥而上，争抢着吞吃中国。我们都是中国人，大家口头上常说自己是中华儿女，那么，今天我们为了保卫祖国的领土和主权，一定要把爱国之心付诸行动。要求政府不在《马关条约》上签字。"这时，整个会场静极了，大家屏住气息聆听久负爱国盛名的南海先生 (康有为) 讲演。

"同胞们，"康有为高声说道，"救国要从每一个人开始，从今天做起。我首先要求皇上下诏鼓天下之气。也就是要皇帝发布命令，申明励精图治的主张，明确规定赏罚的办法，启用热爱祖国并有真才实学的人来管理国家，从而鼓舞民心。第二，请皇帝迁都定天下之本。具体说就是马上迁都到西安，把打算给日寇的二万万两赔款用成军费，保家卫国，誓死抵抗日本侵略者，决不屈辱求和。第三，练兵强天下之势，也就是动手操练一支强大的中国军队，保卫祖国的安全和领土完整。最后一条是变法成天下之治。这一条是挽救祖国的最根本方法，只有雷厉风行地实行变法维新，改革政治，才能使中国富强昌盛。”

康有为一口气讲到这里，台下一片沸腾。大伙齐声说道：“南海先生说得好哇！我们公推您起草给光绪皇帝的奏疏。”康有为挥手道：“好！我决不辜负与会同胞们的信任和期望，立即起草上皇帝书。”康有为纵身跳下讲台，在 1000 多名举人的簇拥下，回到寓所，连夜赶写给光绪皇帝的奏疏。

经过一天两夜废寝忘食的苦干，康有为终于写成了给光绪皇帝的“万言书”，18 省 1000 多名举人都在万言书上签了名，除了呈送给皇帝的以外，人们还辗转传抄，这份“万言书”不胫而走，轰动了整个北京城。因为当时把各省进京考试的举人称为“公车”（汉朝时，全国各地举荐人才，由公家备车送考，后来就用“公车”称呼进京赶考的举人），所以这次上书在历史上被称作“公车上书”。

在这份“万言书”中，康有为满怀爱国激情，慷慨陈词，除了重申他在松筠庵讲演的内容外，又提出必须着手全面改革。如何进行改革呢？康有为提出要从“富国、养民、教民”三方面着手进行。

1895 年 5 月 2 日，举人们把这份“万言书”送到清朝的都察院，可是不负责任的都察院推说皇帝已经在条约上盖了印，拒绝把这份“万言书”呈给皇帝。“公车上书”虽然没有能够阻止《马关条约》的签订，但是它震动了当时的中国社会，其中所提出的资产阶级的政治改革要求广泛地传播开来，全国人民都知道了维新派的领袖人物——康有为。

（选自《中国近代爱国故事》，樊竞编著）

康有为（1858年—1927年），清末资产阶级改良运动领袖、思想家，广东南海人。早年受西方民主思想影响，后形成维新学说，多次上书清帝变法，均遭拒绝或镇压。戊戌变法失败后亡命日本，思想逐步转变，成为保皇会首领。著有《大同书》等。

"我自横刀向天笑"

——政治家谭嗣同的故事

中日甲午战争，中国遭到惨败。这时，外国侵略者不论在言论上，还是在行动上都想竭力瓜分中国。

1895 年，清朝政府被迫和日本签订了《马关条约》。这个丧权辱国条约的签订，激起了全国人民的愤怒。正在北京应试的广东举人康有为，联合 18 省 1000 多名举人，向光绪皇帝联名上书，反对同日本议和，请求立刻变法。这就是中国近代史上著名的"公车上书"。

这时，湖南有个青年名叫谭嗣同。他以十分沉痛的心情，写下了激动人心的爱国诗句："四万万人齐下泪，天涯何处是神州?"提出了中国向何处去的大问题。

谭嗣同认为，西方资本主义国家之所以"富强"，是由于他们发展生产、革新技术；政治上搞选举、设议会，提倡自由。因此要富强中国，只有发展民族工商业，学习西方治理国家的方法。

1897 年 11 月，继日本蚕食中国领土之后，德国强占了胶州湾，沙俄侵占了旅顺、大连，中国面临被瓜分的危机。这时，康有为又再次上书要求变法。由于局势严峻，他的意见受到光绪皇帝的重视。于是，光绪皇帝在 1898 年 6 月 11 日颁发了诏令，宣布变法。

为了冲破守旧派对变法的抵制，康有为建议选拔一批年轻有为的人推行变法。维新派大臣徐致靖向光绪皇帝推荐了谭嗣同，说他“才能出众，学问渊博，忠心爱国，勇于克服困难，对内可以参与国家大事，出谋划策，对外也是一位能干的人”。

于是，当年9月5日，光绪皇帝召见了谭嗣同，授予他四品官衔，让他在实权很大的军机处工作，为光绪皇帝起草诏书，批阅各地奏折，并参加商讨国事。谭嗣同实际成为了光绪皇帝推行新政的大臣。

从6月11日到9月21日的100天里，光绪皇帝先后颁布了一系列变法诏令。主要内容有：设农工商总局，提倡各种实业；准许创办报刊，提倡上书言事；废八股，办学校，译新书，奖励科学发明等。这就是著名的戊戌变法，也叫作“百日维新”。

光绪皇帝的变法法令是在保护封建统治的前提下，实行一些自上而下的改革。但是以慈禧太后为首的顽固派，认为“祖宗之法不可变”，十分仇视任何改革，狂叫“宁可亡国，不可变法”，极力阻挠变法法令的贯彻执行。她首先逼迫光绪皇帝下令，撤销军机大臣、光绪皇帝的老师翁同龢的一切职务，任命其亲信荣禄为直隶总督，统帅北洋军队。慈禧太后还密谋，10月间趁光绪皇帝到天津阅兵的机会，由荣禄发动政变，废掉光绪，取消新政。

在这危急关头，光绪皇帝惊慌失措，感到皇位不保。9月14日，急忙给康有为、谭嗣同等下密诏，焦灼地企望他们设法相救。谭嗣同、康有为等既不掌握军队，又脱离广大人民群众，只好捧诏痛哭，毫无办法。后来，谭嗣同提出由他去游说荣禄的部下袁世凯，在10月天津阅兵时，诛戮荣禄等人，囚禁慈禧太后，挽救光绪皇帝，继续推行新政。

9月18日深夜，谭嗣同独自一人来到袁世凯的住所法华寺。一见面，

谭嗣同劈头问道："你说现今的皇上怎么样？"袁世凯说："皇上是当代的圣主。"谭嗣同说："天津阅兵的阴谋，你知道吗？"袁世凯说："我有所闻。"谭嗣同直截了当地把维新派的全部计划告诉了袁世凯，并慷慨激昂地说："如今可以救皇上的，就只有你。你愿意救就救。"说到这里，他用手抚摸着自己的脖子说，"如不愿意救，请到慈禧太后那里去告密，立刻可以大富大贵。"袁世凯假装正颜厉色地说："你把袁某看成什么人啦！"谭嗣同故意用话激他："荣禄一向待你很好，你不想报答他？况且，荣禄也不是等闲之辈，对付他也不容易吧。"袁世凯假装气愤地说："要是皇上到天津阅兵时到我们营里，那么杀荣禄好比杀一条狗一样。"就这样，谭嗣同被狡猾的袁世凯欺骗了。第二天，袁世凯急忙赶到天津，向荣禄告密。当晚，荣禄进京禀报慈禧太后。

9月21日，慈禧太后发动政变，幽禁光绪皇帝，宣布亲自"训政"，下令逮捕改良派领袖。康有为、梁启超逃到国外，有人劝谭嗣同去日本，被他拒绝了。他悲愤地说："各国变法无不从流血而成，今日中国未闻有因变法而流血者，此国之所以不昌也。有之，请自嗣同始!"

9月26日，清政府逮捕了谭嗣同，把他关入刑部北监。在狱中，谭嗣同从容自若，写了一首七绝诗，其中有"我自横刀向天笑，去留肝胆两昆仑"一句，表现了视死如归的英雄气概。此外，他还给康有为、梁启超写了两封绝命书，大意是："我今被捕，自料必死，我死不足惋惜，可怕的是瓜分大祸，就在眼前。我担心的是民族的命运，祖国的前途。希望大家同心杀贼，挽救危亡。相信中国之大，民众之多，一定会有人做到这一点。嗣同生不能报国，死而为厉鬼，也要完成这番事业。"

1898年9月28日下午，清政府匆忙以"大逆"之罪将谭嗣同等6人押解到北京宣武门外菜市口斩首示众。临刑前，谭嗣同神色不变，慷慨从容，大声朗诵他自己最后所作的绝命诗：

有心杀贼，无力回天；死得其所，快哉快哉!

谭嗣同所致力的维新变法运动失败了，但是他那种爱国救民、英勇献身的精神，却永远为后人所崇敬。

（选自《可歌可泣的爱国主义精神》，赵树林编）

谭嗣同（1865年—1898年），近代改良派政治家、思想家，湖南浏阳人。曾经筹办内河航运、开矿、修铁路等新政，后参与戊戌变法，与林旭等同时遇害，史称“戊戌六君子”。

“革命军中马前卒”

——大将军邹容的故事

1903年春节，日本东京神田骏河台的中国留学生会馆里，熙熙攘攘，热闹非凡，欢声笑语荡漾在大厅里。中国留日学生1000多人聚集在这里，举行春节团拜会。

司仪宣布大会开始，会场顿时鸦雀无声。爱国的留学生们按照预先商定的计划，把这次大会变成了一个宣传反帝爱国、鼓舞革命思潮的讲坛，学生们依次来到会场前方的讲台上，发表了反对卖国的清政府的演说。这时，只见一个面容清秀、气宇轩昂的青年人疾步登上讲台，挥臂喊道：“同学们，我们今方少年时，爱国救国是我们责无旁贷的神圣职责，大家起来，对内推翻卖国求荣的清政府，对外驱逐侵略强盗出中国，废除一切加在中国人民头上的不平等条约，用我们的双手创造一个繁荣富强的中华共和国!”

会场沸腾了，雷鸣般的掌声震得大厅直发颤。溜到这里“旁听”的清政府驻日本公使蔡钧是一个守旧的顽固派，他听到这个青年人气壮山河的豪言壮语，不禁目瞪口呆、又气又恼，便指使几个留学生中的大官僚子弟吹口哨、敲桌子捣乱。同学们喝住了这几个家伙，他们只好拥着蔡钧灰溜溜地走了。那个青年人向同学们感激地点着头，健步走回自己的座位上，大家都尊敬地看着他。一个北京口音的学生拽住一个四川来的学生问道：“请问你这位同乡的尊姓大名？”四川学生用略带自豪的口气说：“他是我们四川巴县的邹容啊!”“他就是邹容!”人们都向邹容围过去。

1885年，邹容出生在一个商人家庭里，他从小就勤奋学习，刻苦读书。1898年，震惊中外的戊戌变法开始后，他痛切地感到：中国如果不变法图强，那么被帝国主义列强瓜分的惨祸将为期不远。杰出的维新派斗士和爱国主义者谭嗣同壮烈牺牲的消息传来后，邹容悲痛万分，他把这位为国献身的人当作自己学习的楷模，并把谭嗣同的遗像放在书桌旁，在遗像旁挥笔题下“赫赫谭君故，湖湘士气衰，惟冀后来者，继起志勿灰”的悼念诗，表达了他继承烈士未竟事业、拯救多灾多难祖国的决心。

1902年，费了许多的挫折，邹容终于到达日本留学。他一方面拼命学习各科知识，努力充实自己；一方面积极参与革命活动，准备革清政府的命。那次轰动一时的团拜大会之后，驻日公使蔡钧准备派人偷偷地杀害邹容。邹容得知这一消息后，在同学们的劝说下，于这年的4月份，被迫从东京乘船回到上海。他在日本时就听说革命党人章太炎等人在上海组织了反清反帝的爱国学社，他一下轮船，就迫不及待地赶到上海泥桥城福源里爱国学社会址。

章太炎在爱国学社三楼的一间小屋中，看见风尘仆仆的邹容到来，急忙放下手中的文稿，起身相迎，两人一见如故。邹容拿出他在东京就已经动笔写作，尚未最后定稿的《革命军》初稿，恳切地请章太炎提意见。章太炎认真阅读了一遍后，不禁连声赞誉，高兴地说：“你我志同道合，都怀着一颗推翻卖国的清政府的赤热之心，我愿为《革命军》作序。”

这时，沙皇俄国拒绝按照中俄《交收东三省条约》的规定，撤出侵占的我国东北地区。消息传出，激起了中国人民的极大愤慨，全国举行了声势浩大的拒俄运动。邹容怀着满腔的爱国激情，积极参加了这一场运动，他四处奔走呼号，坚决斗争，并且还首先报名参加了“拒俄义勇队”，准备拿起枪杆子打击侵略者。为了团结全国青年“鏖战于中国前途”，邹容不辞辛苦地发起成立了青年的爱国组织“中国学生同盟会”，得到了海内外爱国青年的广泛支持。与此同时，邹容还夜以继日地抓紧《革命军》一书的写作。1903 年 5 月底，被称为资产阶级民主革命最响亮的号角——《革命军》在上海出版了。

邹容在书中自称为“革命军中马前卒”。《革命军》一书用通俗的文字宣传了革命的民主思想，大无畏地揭露了清朝的封建专制统治是使中华民族陷于帝国主义强盗瓜分危机的根源，指出革命是“世界之公理，中国之必需”，号召人们为在中国建立人民民主的“中华共和国”而奋起进行长期的、艰苦的革命斗争。他相信中国这个被拿破仑譬喻为“睡狮”的文明古国，一定会“历史之污点可洗，祖国之名誉飞扬，独立大旗飘入云霄”。

《苏报》馆址设在上海公共租界，配合《革命军》的出版，连续刊登一篇篇宣传革命的文章，迅速在人民群众中流传。这吓坏了清朝的统治阶级，他们与帝国主义狼狈为奸，制造了骇人听闻的“苏报案”。1903 年 6 月 30 日，租界里的帝国主义巡捕逮捕了章太炎。第二天凌晨，邹容得知这个消息后，他怀着为战友分担责任，和战友生死与共的英雄气概，毅然到巡捕房去投案。

7 月 15 日，清政府和帝国主义互相勾结，对邹容和章太炎进行了非法审讯。面对敌人，邹容和章太炎大义凛然，昂首挺立。清政府以原告的身份控告邹容所写的《革命军》煽动暴力作乱，存心犯上，是“大逆不道”的“反叛罪”。邹容据理驳斥，他目光炯炯，手指“审判官”说：“我因愤恨清政府的专制，才写了《革命军》。我的理想就是拨迷雾、扫妖氛，和清王朝拼搏于枪林弹雨之中，扫荡外来之恶魔，使我国长存于20世纪的新世界上，成为地球上的强国!”这一番义正词严的对答，气得敌人直拍桌子，审讯只得草草收场。当天，上海人民听说邹容和章太炎要从法庭上押回巡捕房，大家便挤满了沿途的大街小巷等候。押送邹容和章太炎的马车走到哪里，哪里的人群就向他俩表示深深的敬意。

这次“审讯”后，清政府阴谋扩大这个事件，以达到镇压革命党的目的。他们要求巡捕房把邹容和章太炎“引渡”到南京去，以便随便加个罪名处死。当时，全国人民深切同情和支持这两位革命志士，痛斥中外反动派肆意迫害爱国者的无耻行为，愤怒抗议清政府妄图杀害邹容和章太炎的诡计。帝国主义者为了自身的利益才没有答应清政府的请求，邹容和章太炎在狱中不屈不挠，时常互相勉励。邹容叫章太炎“我兄”，表示要和章太炎一起“扫妖氛，同兴革命军”。章太炎十分敬重这位少年英雄，亲切地称呼他“小弟”。1904年5月，邹容和章太炎从巡捕房转押到英租界提篮桥西牢房。从此，万恶的敌人对他俩实行了更加惨无人道的凌辱、虐待和折磨，每顿饭只给他俩一碗掺砂土的稀粥，寒冬腊月也只给一条破毡子挡风，还要被罚做苦工，为军警缝制衣服，一天要干十几个钟头的活。监狱的看守凶残暴虐，时常对他俩拳打脚踢。邹容怒火万丈，不久患了重病，浑身无力，连日发高烧，到了1905年2月，病情加剧，时常昏迷不醒。章太炎千方百计寻来药品给他吃，但病情丝毫不见好转。

邹容在生命的最后时刻，高声喊出了“愿力能生千猛士”，希望千百万爱国猛士奋起革命，完成推翻清王朝的伟大事业。4月2日，帝国主义侵略者派了监狱的医生来给邹容看病，还开了药方。邹容吃了这些药后，第二天半夜就口吐鲜血，含愤而死，年仅20岁。

邹容之死，被人们哀为“国殇”，不知有多少人哭悼过这位少年英雄。

人们都说："如果把邹容的《革命军》普及于四万万同胞，中国必将兴盛。"邹容的革命事迹和革命精神激励了成千上万的爱国志士。《革命军》风行国内外，人们冒着生命危险争相传阅，许多中国人读了《革命军》后走上了革命的道路。鲁迅先生说过："倘说影响，则别的千言万语都抵不过浅近直觉的革命军马前卒邹容所作的《革命军》。"

辛亥革命之后，1912 年 2 月，孙中山先生以临时大总统的名义签署命令，追赠邹容为"大将军"。

（选自《中国近代爱国故事》，樊竟编著）

邹容（1885 年—1905 年），近代民主革命宣传家，四川巴县人。1902 年留学日本，参加留日学生爱国运动。次年回上海发表《革命军》，号召推翻清朝统治，建立"中华共和国"。被捕后死于狱中，葬于上海华泾。

响彻神州的“警世钟”

——革命家陈天华的故事

1905 年 8 月，两本笔锋犀利、震撼人心的图书——《警世钟》和《猛回头》，像春雷响彻了神州大地。它广泛流传于全国各地，很多人醉心阅读，如同着了迷一样。有些学校大量翻印这两本书，用来当作课本学习。腐朽的清政府对于这两本书的传播感到非常害怕，用尽种种卑劣的手段加以摧残。有的顽固派官僚还下令各学校按期搜查学生的床头、枕下等处，只要发现“逆书”——《警世钟》和《猛回头》，当即焚毁。

这两本书为什么博得人民热爱，而使清政府害怕呢？原来其中阐述了强烈的爱国反帝的道理，揭露了帝国主义侵略的目的是要把中国变成殖民地，呼吁中国人民赶快觉醒，奋发图强，为捍卫民族的独立和生存而战斗。

《警世钟》写于 1903 年，作者在书中呼吁全国人民为挽救中华民族的危亡而忘我战斗。作者满怀民族自豪感地写道：“其实洋人也是一个人，我也是一个人，我怎么要怕他？……只要我全国皆兵，他就四面受敌，即有枪炮，也是寡不敌众。”“只要我人心不死，这中国万无可亡之理。”

作者痛切地陈述了帝国主义强盗瓜分中国的危难形势，希望同胞们猛回头，“拒洋人，救亡图存”。在《警世钟》里，作者愤懑地说：“列位，今日中国还是清政府的吗？早已是各国的了！那些财政权、铁道权、用人权，一概拱手送与洋人。洋人全不要费力，要怎么样，只要下一个号令，清政府就立刻奉行。”“我们要想拒洋人，只有讲革命独立!”这就是作者——我国近代激进的革命家陈天华的结论。

少年时代的陈天华就有远大的抱负，有一次他在墙上题写了两句诗：“莫谓草庐无俊杰，须知山泽起英雄。”这 14 个大字锋芒毕露，充分显示出这位少年志士的雄心壮志。

清朝末年，许多有志改革的中国青年为了探求祖国强盛的途径，络绎不绝地到资本主义国家留学。1903 年，大地回春的日子里，陈天华争取来到了日本留学。他抵达日本还不到两个月，沙皇俄国侵占了我国的东三省。另外几个帝国主义国家也红了眼，叫嚣着要宰割中国。

1903 年 4 月的一天，留日的中国学生在锦辉馆召开了保国抗俄大会。陈天华一个箭步跳上了讲台，他身穿黑色学生装，剪掉了脑袋后面拖着的小辫子，留着齐肩的长发，显得那样精悍、英俊。他那带有湖南口音的嗓子洪亮高亢，撼人心魄：“同学们，梁启超老师前几年说过，中国青年要人人以爱国相砥砺，以救亡为己任。他还说过，中国英俊之才，其数不可计，遍地皆是，都在二三十岁之间。我们都是 20 岁上下的中国青年，我们要组织起‘拒俄义勇队’，也就是学生军，开赴东北前线，与厚颜无耻的沙俄侵略军决一死战。”台下的同学们听着这振奋人心的讲演，热烈地鼓掌，有的人巴掌都拍红了，当场就有 200 多名同学报名参加了“拒俄义勇队”。

会后，又有 300 多名中国留学生加入“拒俄义勇队”，陈天华等骨干带领这 500 多名同学日夜操练，学习军事技术，苦练杀敌本领，时刻准备上战场。与此同时，陈天华还拿起笔作刀枪，抓紧时间写作宣传救国抗战的文章。每写到激动的地方，他总是禁不住失声痛哭。有一次，他咬破手指写了几十封血书，悲痛地叙述了古今中外各国遭到亡国之祸的惨痛情形和当前的民族危机，邮寄到国内各学校，目的在于唤起全国青少年立志救国。凡是读到陈天华字字血、声声泪所凝成的血泪之书的中国人，无不深受感动。

陈天华高兴地看到了“猛睡狮，梦中醒，向天一吼”。他多么希望“百兽惊，龙蛇走，魑魅逃藏”，赢得中华民族的彻底解放，“到那时，齐叫道：‘中华万岁！’才是我，大国民，气吐眉扬”。

陈天华清醒地认识到：“保国比什么都重要，如果国家不保，个人的事业还有什么保证呢？目前，保国当是第一位。”同年5月，陈天华和黄兴、蔡锷等同学又成立了以“养成尚武精神，实行爱国主义”为宗旨的“军国民教育会”。

为了武装推翻清王朝，1904年初，陈天华迫不及待地回到祖国，直奔家乡湖南筹备起义。这年的十月初十是专横跋扈的慈禧太后的寿辰，那一天湖南全省的封建官吏要在长沙万寿宫“祝寿”，陈天华和其他革命党人决定利用这次机会，把这些家伙一网打尽，因为不慎被清政府的密探知道了起义的计划，清军联合了租界里的帝国主义巡捕一起搜捕革命党人。大家一看形势危急，只好四处疏散，独有陈天华不肯走。他沉痛地说：“起义不成，要亡国灭种了，还有什么脸面活下去!”同志们苦苦地劝告他要保存革命力量，这样他才含泪离开。

1905年初，陈天华又来到日本，他和同志们投入了救国的革命狂澜中，大办宣传抗战和革命的刊物，号召人民团结一致，奋起推翻清朝的封建专制。卖国的清政府为了扼杀革命党人在日本的活动，就暗中勾结日本政府，共同迫害中国留学生。1905年11月，日本政府颁布了《取缔清国留学生规则》，蛮横地限制中国留学生的自由。这一反动措施激起了全体中国留学生极大的愤怒，8000多人罢课表示了强烈的抗议，革命党人更是大力开展爱国主义的鼓动和宣传。日本政府十分恐惧，通过《朝日新闻》等报纸，诬蔑中国留学生的正义行动是“乌合之众”“放纵卑劣”。

陈天华对于日本政府“剥我自由、侵我主权”的反动行径万分愤慨，为了激励全国同胞“有所警动”“共讲救国”，便决定投海殉国。1905 年 12 月 8 日，年仅 30 岁的爱国革命家陈天华在日本大森海湾投海自杀。他希望以自己的牺牲激励后人矢志救国。他在留下的万言《绝命书》中勉励青年们，“去绝非行，共讲爱国”“卧薪尝胆”“丕兴国家”。

陈天华以身殉国的行动激励了中国留学生，他们擦干眼泪，组织了敢死队，先后罢学归国的就有 2000 多人，准备与帝国主义侵略者和卖国的清政府做不屈不挠的斗争。

陈天华所写的《警世钟》和《猛回头》传遍了神州大地，而陈天华英勇的爱国事迹更是一座巍峨的“警世钟”，长鸣不息，唤起、鞭策了一代又一代的中国青年为祖国的独立富强而奋斗。

(选自《中国近代爱国故事》，樊竟编著)

陈天华 (1875 年—1905 年)，近代民主革命家，湖南新化人。1905 年参加发起同盟会，12 月在东京参加抗议日本政府《取缔清国留学生规则》的斗争，愤而投海自杀，留下绝命书，鼓励同志誓死救国。

“只解沙场为国死”

——爱国志士徐锡麟的故事

1903年，徐锡麟以参观日本大阪博览会的名义东渡，并到东京游览，参观了东京博物馆。这时，东京的浙江留学生正在开会讨论营救章太炎先生，徐锡麟自愿出资相助，结识了陶成章等革命志士。留日的中国学生为反抗沙俄侵占中国东北，组织了“拒俄义勇队”。热血沸腾的徐锡麟深受影响。回国后，他在浙江一带联络会党进行反清活动。1904年，在上海加入蔡元培组织的光复会，后在绍兴创办大通学堂。

大通学堂，全称是大通师范学堂。最初是徐锡麟、陶成章借清政府废科举、办学堂之机而创办的。他们以办学的名义掩护光复会的革命活动。后来，他得到绍兴徐克丞的资助和湖南巡抚俞廉三的推荐，取得了留学日本的资格。1905年冬，徐锡麟和陈伯平、马宗汉等13人东渡日本。

去日本之前，他北出山海关到奉天、吉林等地，再经西北边疆察看形势。面对沙俄与日本两个帝国主义国家在中国东北土地上的角逐，他无限感慨。在《出塞》中写道：

军歌应唱大刀环，誓灭胡奴出玉关。

只解沙场为国死，何须马革裹尸还！

1906年春，徐锡麟由日本回国。不久，捐得了道员的官职，来到了安徽省的重镇安庆，与他同去安庆的还有陈伯平、马宗汉等人。

他们从绍兴出发，路经杭州，住在白云庵。许多大通学堂的青年前来送别，徐锡麟向青年们赠言："法国革命80年始成，其间不知流过多少热血；我国初创革命，亦当不惜流血，以灌革命的花实。这次赴皖，就是打算流血的。诸位，切不可引以为惨而存退缩的念头才好。"送别的人听后都很感动。

这一年12月，徐锡麟到安庆任职，由于表叔俞廉三的关系，加之他做事精明干练，深得安徽巡抚恩铭的信任，屡受提升。他先任武备学校副办，继任警察处会办。第二年，又任巡警学堂堂长。徐锡麟利用职务之便，积极开展秘密工作。

徐锡麟赴安庆后，绍兴大通学堂自1907年起由秋瑾主持。这样，皖、浙两地都在积极联络、组织和训练革命力量。徐锡麟与秋瑾曾约定皖浙互相配合，伺机同时起义。起义的行动日期初步定于1907年7月6日，后来又改为7月19日。

在还未得知秋瑾在浙江的行动计划之前，徐锡麟在安徽的革命活动就开始暴露了。

有一个名叫叶仰高的革命党人，在上海被清政府逮捕，供出了"有个混入安庆官场的浙江人是革命党"的情报。幸亏不知道这个革命党人的真名实姓，一时还查不到此人是谁。两江总督端方把叶仰高提供的这个重要情报电告安徽巡抚恩铭，要他严密查办。恩铭接电，召徐锡麟商议，却没想到名单上第一个恰恰就是徐锡麟的化名。徐锡麟由此推断自己的真实身份将很快暴露，决定赶快动手，在7月8日趁巡警学堂举行毕业典礼时起义。事前，他曾通知秋瑾，要求派兵援助；又通知外地会党也前来支援。

正巧恩铭因另有他事，决定将典礼提前两天举行。徐锡麟恐怕泄露机密，于是不待浙江等地援军会合，也等不及联络安庆军界的革命党人，仓促决定7月6日提前起义。

7月6日，坐落在安庆东北百花亭畔的巡警学堂将举行毕业典礼。凌晨，徐锡麟等人潜入花厅，埋下了炸药。

早餐后，巡警学堂里气氛十分热烈。8时左右，恩铭和其他官员分别乘坐50多乘轿子陆续来到这里。恩铭原先的计划是先酒宴，后检阅。不知为何，恩铭中途变卦，改为先检阅，后酒宴。

徐锡麟接到恩铭改变计划的通知后，心中疑虑俱增，越想越觉得问题严重，如不及早行动，势必造成被动，于是他迅速决定先下手为强。他立即与陈伯平、马宗汉使了个眼色，并下达命令：先检阅，后酒宴。人人遵守，不得贻误，误者处罚。

9时整，典礼开始，恩铭等官员依次走向第三礼堂。按规定，先是由守卫在礼堂旁的官生班向恩铭等人行鞠躬礼。接着，应轮到兵生班行礼。这时，徐锡麟突然举手行礼，呈上学员名册；同时大声报告说：“回大帅，今日有革命党起事!”恩铭一听，犹如晴天霹雳惊恐万分。说时迟，那时快，陈伯平迅速上前，向恩铭投出一枚炸弹。炸弹在地上转动，却没有爆炸。恩铭吓得魂不附体，其他官员也都惊得目瞪口呆。马宗汉眼明手快，拔出手枪，一枪打中了恩铭的右手。正想打第二枪，可是怎么也打不响。未等恩铭清醒过来采取进一步行动，徐锡麟马上说：“大帅勿惊! 这个革命党，卑职终当为大帅拿到!”边说边迅速从靴筒内拔出两支手枪，“砰! 砰!”子弹连着射向恩铭。恩铭身中七弹，立即倒地。礼堂内顿时乱成一片，吓得魂飞魄散的其他文武官员在混乱声中纷纷逃窜。

这时，徐锡麟当机立断，率领30多名学员冲出大门，占领了安庆军械所，并取出枪支弹药，结果被清军包围。从巡警学堂逃走的清朝官吏立即命令关闭城门，并张贴告示悬赏缉拿革命党人。在军械所经过4个小时的激烈战斗，清兵死伤100多人。陈伯平不幸牺牲，徐锡麟、马宗汉受伤被捕。

安庆起义悲壮地失败了。清朝官吏对徐锡麟进行了审讯，他们在审讯中问道："恩抚台待你不错，何故如此？"徐锡麟回答道："恩铭待我是私交，我对他是公义，私交何得胜过公义？我一死而已，不必多言。"

他们逼徐锡麟写口供，徐锡麟提笔写道："我蓄志革命已十余年矣，今日始达目的，本拟杀恩铭后，再杀端方、铁良、良弼……"他们还逼徐锡麟供出革命党人名单，得到的答复是"革命党人本多，在安庆实我一人"。

端方致电冯煦立即处死徐锡麟，安庆司道等欲将他剖腹剜心祭恩铭。徐锡麟听到自己将被挖取心肝时，毫无惧色，面对死亡，反而仰首大笑，说："杀我好了，将我的心剖了，两手两足断了，全身碎了，都可以，但不可冤杀学生。"他在死亡面前，谈笑自若，视死如归。

7月6日晚，徐锡麟在安庆抚院门前慷慨就义，年仅34岁。章太炎著文歌颂徐锡麟的英勇事迹：

山阴徐君，生当其辰。
能执大义，以身救民。
手歼虏首，名声远闻。

（选自《中国近代爱国者的故事》，作者李茂高）

徐锡麟（1873年—1907年），清末资产阶级反清志士、民主革命烈士，浙江山阴（今绍兴）人。1903年游历日本，次年参加光复会。1907年7月6日在安庆枪杀安徽巡抚恩铭，起义失败被捕，英勇就义。

秋风秋雨愁煞人

——革命家秋瑾的故事

近代以来，中国人民的爱国主义精神体现出了强大的进步力量。这个时期的爱国志士已经不局限于一般的维护国家统一和民族尊严上，而是为了力求从根本上改造旧中国。在20世纪初，我国出现了一位著名的女革命家——秋瑾，就是这种进步力量的杰出代表。

秋瑾出生在福建厦门。当时，她的祖父秋嘉禾在厦门任知县，秋瑾随父母亲同祖父一起居住。1840年鸦片战争以后，厦门被英帝国主义强迫开为通商口岸。飞扬跋扈的英国传教士经常闯进秋瑾祖父的办公处所，提出各种蛮横无理的要求，达不到目的就百般凌辱他。祖父每次回家，总是把自己心中的不平和怨恨对家人吐露出来。老人的愤慨，使秋瑾从小就憎恨外国侵略者。

1884年到1885年中法战争期间，法国军舰闯进福建闽江口和台湾沿海，大肆屠杀抢劫。对此，秋瑾极为愤懑。她对母亲说："红毛人（指外国侵略者）如此霸道，这样下去，中国人要成为他们的奴隶了!"这样，秋瑾幼小的心中就播下了忧国忧民的种子，她立志要把外国侵略者赶出中国。

秋瑾少年时代，聪明过人，酷爱读书，她对祖国的文化遗产极为热爱。后来她在日本留学时曾写信给侄子说："但凡爱国之心，人不可不有，若不知本国文字、历史，即不能生爱国之心也。”

当秋瑾16岁的时候，祖父因受不了外国侵略者的欺压，带着全家弃官而去，回到故乡绍兴。秋瑾早就听母亲谈起过表兄弟武艺高强。因此回到绍兴不久，她便随母亲到舅父家，跟表兄弟学使拳弄棒、骑马击剑，练就了一身好武艺。这时的身体锻炼，对她以后从事繁重的革命工作是很有帮助的。

1890年，秋瑾的父亲到湖南常德县任厘金局总办，后被调到湘潭。秋瑾全家到了湘潭。1896年，秋瑾依父母之命嫁给王廷钧。王廷钧的父亲是清政府的大官曾国藩的表兄弟，帮曾家管过账，在镇压太平天国运动中发了横财。王廷钧是一个浪荡公子，从小依仗父亲的财势，养尊处优，好逸恶劳，谈吐之间不是吃喝玩乐，就是升官发财。他与热情奔放的秋瑾性格不合，家庭生活很不融洽，不久，王廷钧花钱买了一个户部主事的官，秋瑾不得不随他一起来到北京。

秋瑾住在北京时，正值义和团运动失败后，八国联军攻陷北京，公开抢劫三天三夜。她耳闻目睹帝国主义的暴行和清政府的腐败无能，更激发了她的爱国热情。她曾感慨地说：“人生处世，应立志把祖国从危亡中拯救出来，哪能只管米盐琐事而虚度一生呢？”

在京期间，秋瑾结识了王廷钧同事的夫人吴芝瑛，两人意气相投，情同姐妹。在吴芝瑛家里，秋瑾经常读到当时新出版的书报，使她对资产阶级民主革命有了进一步的认识，决心献身于救国事业。后来，她在写给朋友王时泽的信中说：“吾自庚子以来，已置吾生命于不顾，即不获成功而死，亦吾所不悔也。”

要救国，就得有知识和本领。在当时的中国人心目中，日本是个先进的国家，许多有志青年纷纷到那里留学，秋瑾也决定到日本去。1904年7

月，秋瑾冲破封建家庭的层层束缚，把两个孩子寄养在母亲家里，变卖了自己的衣物首饰，只身来到日本。

到东京后，秋瑾先在中国留学生会馆日语讲习所补习日文，随后考入青山实践女校。在此期间，她和陈撷芬发起组织了以反抗清廷为宗旨的“共爱会”。不久，她又参加了孙中山派人在横滨成立的秘密反清团体“三合会”，受封为“白纸扇”（军师）。她在一首词里写道“金瓯已缺总须补，为国牺牲敢惜身”，表达了她献身救国的意志。为了宣传革命道理，她积极参与成立了“演说练习会”，创办了《白话报》。此外，她还结识了光复会的首领陶成章和当时在日本留学的鲁迅等人。

这一年年底，秋瑾借回国筹措学费和探亲的机会，带着陶成章给她开的两封介绍信，在上海访问了光复会会长蔡元培；然后到绍兴会见了徐锡麟。徐锡麟是一位有革命思想的人，两人相见，谈得非常投机。于是经徐锡麟介绍，秋瑾加入了光复会。

转年春天，秋瑾又回到日本。在东京，孙中山会见了秋瑾，她对孙中山的革命主张极为赞成，后经人介绍参加了孙中山所领导的以推翻清朝政府、实现资产阶级民主革命为宗旨的同盟会，不久被选为同盟会浙江分会会长。

同盟会的成立使革命形势迅猛发展，清政府对此十分恐惧。1905年冬，清政府串通日本政府颁布了《取缔清国留学生规则》，禁止中国留学生的革命活动。于是8000多名中国留学生纷纷罢课集会，抗议日本政府侵犯他们的人身自由。在浙江同乡会的集会上，秋瑾发表了慷慨激昂的演说，号召全体留学生回国。当她讲得十分激动的时候，随手从靴筒里取出“倭刀”，猛然插在讲台上说：“如果有人回到祖国，投降敌人，卖友求荣，吃我一刀!”

1906年初，秋瑾回到祖国，她一面教书，一面和各地革命者取得联

系。为了唤醒广大妇女，秋瑾不惜变卖自己的衣物、家产充当经费，在上海创办了中国妇女的第一张报纸——《中国女报》。在第一期的封面上，画着一个妇女，双手高擎一面旗帜，象征着中国妇女的团结和战斗。

在办报的同时，秋瑾还积极进行武装起义的准备。1907年春，她离开上海，回到故乡绍兴，进入徐锡麟为培训革命青年而创办的大通学堂。秋瑾以此为据点，积极联络革命党人，把金华等县属会党成员按军队编制编成8个军，称为“光复军”。徐锡麟任首领，秋瑾为协领。两人约定，在当年的阴历五月底，徐锡麟在安徽安庆，秋瑾在浙江金华，同时发动起义。后因情况突然变化，徐锡麟被迫提前仓促起义。起义失败后，徐锡麟被清政府惨杀。秋瑾得知后，异常悲愤，猛击桌子说：“革命未成死不休，得拼下去!”

安庆起义失败后，浙江形势非常吃紧。7月11日，清政府从杭州调兵300多人，去绍兴逮捕秋瑾等人。秋瑾得知后，不顾个人的安危，立即率领留在大通学堂的学生，把以前徐锡麟在时所购置的枪械子弹藏起来。13日下午，清军包围了大通学堂。这时，学校里只剩下30多名学生和秋瑾等几位教员。有人一再劝秋瑾暂避一下，她豪迈地表示：“如果我只身走掉，太对不起革命事业，也太对不起同志们，因此我决定留在这里和清兵拼了。革命是要流血的，没有鲜血，挽救不了民族危亡。”

当清兵凶猛地向她扑来时，她勇敢地握着手枪冲上去，只因寡不敌众，不幸被捕。

秋瑾被捕后，遭到严刑审讯。在审讯中，清兵头目软硬兼施，秋瑾大义凛然，坚贞不屈。清兵头目让她写笔供，她提起笔，凝思片刻，望着法庭门外的风雨，挥笔写下了一句短诗：“秋风秋雨愁煞人。”

这句短诗，包含着秋瑾对祖国的热爱，对民族的深情，以及壮志未酬身陷囹圄的无比遗恨。在这位宁死不屈的革命志士面前，清兵头目问不出半点口供，只得编造供词，捏造罪证，草草定案，于 1907 年 7 月 15 日凌晨，在绍兴轩亭口将秋瑾杀害了。

秋瑾就义时，身穿白布衫、黑纱裤。她喝退前来架她的清兵："我能走，不用你们动手!"她从容镇定，英勇就义，时年 32 岁。

秋瑾牺牲后，被友人葬在杭州西湖西泠桥畔，与岳飞墓遥遥相望。孙中山先生手题"巾帼英雄"匾额于她的墓前。

秋瑾用自己革命的一生为我国妇女解放事业树立了一面鲜明的旗帜。她是中国近代史上杰出的女革命家，是中国民主革命的先驱之一。她壮烈的一生永远铭刻在中国革命的史册上。

（选自《可歌可泣的爱国主义精神》，赵树林编）

秋瑾 (1875 年—1907 年)，近代女民主革命家，自号鉴湖女侠。浙江绍兴人，生于厦门。留学日本回国后组织"光复军"，后因起义失败被捕，就义于绍兴轩亭口。其诗词笔调雄健，感情奔放，著有《秋瑾集》。

武术英豪壮国威

——武术家霍元甲的故事

在中国近代的武术史上，有一位传奇式的英雄——霍元甲。他武艺出众，匡扶正义，敢于与洋力士较量，为中华民族争得荣光。他的故事一直为人们所传诵。

洋力士口吐狂言

1909年春，上海滩出现了一个名叫奥皮音的西洋大力士。一连十几天，上海北四川路上的亚波罗影戏院，每晚影戏演至一半，奥皮音都要登台表演举重，显露他结实的肌肉和各种奇姿怪态。每次表演约20分钟，十分轰动。在最后一场演出结束时，奥皮音态度傲慢，吹嘘自己是“天下无敌的第一号大力士”，并嘲笑中国人是“东亚病夫”，不堪一击。他狂妄地宣称：愿与任何一个中国人角力。第二天，奥皮音的这番狂言在报纸上登了出来，一时舆论大哗。

上海的爱国志士被奥皮音激怒了，都想杀一杀这个洋力士的威风。当时，江南一带文化虽盛，武功却不著，上海滩更少有武术高手。有人提议，河北有个能人霍元甲，武功超群，尤擅技击，可请他来制服奥皮音。于是，一封快函从上海发往了天津。

“黄面虎”艺有渊源

自古以来，燕、赵一带 (今河北)，侠义英豪众多，民间崇尚武艺之风很盛。天津静海县小南河村有个姓霍的人家，以一门精湛武术名扬四方。霍元甲 1868 年出生在这样的武术世家。父亲霍恩第身怀祖传绝技“迷踪艺”，走南闯北，未逢敌手，颇享盛名。霍恩第有十个儿子，元甲排行老四。论体质，霍元甲是兄弟中最弱的一个，但他酷爱武术，勤奋好学，技艺进步极快。

霍元甲勤学不辍，积十年之苦功，终于练就一身高超武艺。20 岁时，到天津城内经营药栈。栈中有伙计十来人，他便给他们传授武术，日日操练。附近一些武术爱好者，如刘振声、赵汉青等，也相继投奔而来。当时，人称霍元甲为“黄面虎”，并传说他有惊人功夫，“体软如绵，骨硬似铁，轻能走壁，力能举鼎”。

据说，八国联军侵入华北时，有个俄国力士到天津卖艺，大吹大擂，说自己是“打遍中国无人敌”。霍元甲闻讯，决意前去迎战。他对这位俄国力士说：“中国人比武有两种方法：一种是君子斗，一种是小人斗，前者不伤人，后者要见血，用哪一种方法比，随你挑。”色厉内荏的俄国力士见霍元甲威风凛凛，就要了个花招，佯称隔天再赛，当晚却不辞而别，灰溜溜地离开了天津。霍元甲大长了中国人的志气，一时传为美谈。

霍元甲接到上海武术界同仁的聘请，要他出战奥皮音。他二话没说，偕徒弟刘振声，星夜兼程，赶来上海。

“张园”比武美名扬

1909 年 3 月，霍元甲到达上海。他等不及好好休息，就请了翻译，陪同前往找奥皮音谈判比武之事。奥皮音初来中国，不懂中国拳术比赛方法，只知西洋拳术比赛规则。他提出比赛时要戴上皮手套，只准击对方腰围上部，不许用脚踢。霍元甲则认为，要采用中国擂台打斗的方法，手足并重，无所限制，如有死伤，事由天命。双方各执己见，虽谈判多时，却未取得一致意见。

霍元甲一到上海，上海的各大小报，即用中英文大号字体刊出消息：“世讥我国为病夫国，我即病夫国中一病夫，愿与天下健者从事！”与洋力士谈判比赛之事也迅速见报。上海市民议论纷纷，奔走相告。霍元甲思忖：如果双方不在擂台正式比一次，难以使奥皮音口服心服，彻底认输。于是他与上海武术界同仁商量，决定向奥皮音提出改为比摔跤，以身跌于地来分胜负。此后，霍元甲又几度上门拜访奥皮音。奥皮音无法推托，只好和霍元甲达成协定，订立条款，约期在张氏味莼园公开比武。

张氏味莼园，上海人称为“张园”，坐落在静安寺路上（今南京西路泰兴路附近）。张园占地数十亩，绿树掩映中，有几幢别致的西式小楼，还有一个广场，园内小桥流水，颇为雅致。当时的上海人，假日里常来此游览休憩。霍元甲和奥皮音比武的擂台设在一处草地上，台高4尺，20尺见方。

那天，张园内外人群熙攘。比赛约定是下午4时正式开始，但是4点钟已过，仍迟迟看不到奥皮音的人影。霍元甲派人去公寓找奥皮音，方知他早已逃之夭夭。观众们得知此事，掌声雷动。从此，霍元甲的大名不胫而走，威震江南。

“尚武精神”留人间

霍元甲来上海，是为了与洋力士奥皮音一决高低，原想比武结束即返天津。张园擂台比武以后，霍元甲名声大噪，上海武术界同仁极力挽留。在朋友的一再劝说下，霍元甲改变了主意，决定留在上海。

为谋生计，霍元甲在一些武术爱好者的赞助下，于1909年夏天在上海闸北王家宅创办了一所精武体操学校。他自任教练，农劲荪任校长。这是中国较早的一所武术学校。翌年，在精武体操学校的基础上，成立了中国第一个综合性民间体育组织——精武体育会，有会旗、会服，以“三育”(体育、德育、智育) 为会旨，以教练民族形式的武术为主要内容。精武体育会迅速发展，不久即在大江南北各大城市，以及新加坡、马来西亚等东南亚国家，设立了分会。精武体育会成立10周年纪念时，孙中山先生题赠匾额，亲笔写了“尚武精神”4个大字，并担任该会的名誉会长。长期以来，精武体育会在上海等城市和东南亚诸国有很大的影响。

据说，精武体操学校创立后不到3个月，霍元甲曾惨遭外国人的暗算。那时，居住在上海的日本侨民不少，上海蓬莱路三元里有一所日本技击馆。几个日本柔道师听说霍元甲武艺出众，便追踪寻觅。一天，这批人来到精武体操学校，指名要霍元甲露面，一较身手，以分高低。霍元甲和刘振声如期赴约。刘振声先上场，日本柔道师抓住刘振声的衣襟，想用摔跤手法把他摔倒，刘振声应以低弓步，似铁钉钉地，站桩岿然不动。两人打了个平手。

接着，霍元甲出战。对手是一个体重200多斤的大个儿，来势汹汹，霍元甲不慌不忙，后发制人，看准时机，乘势借力一推，把日本“大块头”柔道师推出丈把远。对手防备不及，右手撑地，受伤骨折。这些日本柔道师恼羞成怒，由此积下怨仇，伺机报复。

霍元甲原先就患有咯血症，到上海后，辛劳过度，时常复发。一天，有位日本卖仁丹药者，到霍元甲住处兜售药品，扬言此药可治咯血症。霍元甲大喜，随即购买了一些。岂料服了这药后，病情突然恶化，咯血加剧，高热不退，送中国红十字会医院急救，终因抢救无效，于1910年9月病逝，年仅42岁。

霍元甲，这位爱国武术家壮年而殁，他的高超武艺和为中华民族争光的尚武精神，却为世人代代流传。

(选自《中国近代爱国者的故事》，作者程康萱)

霍元甲(1868年—1910年)，武术家，天津人。生于武术世家，多次击败洋人大力士，为中华民族争了光。因遭日本人暗害，中毒而死。1989年在天津市西郊小南河村落成霍元甲陵墓。

“中国人不是好惹的”
——武术家王子平的故事

1919年春，北京中央公园(现在的中山公园) 的五色土平台上，来了一个摆擂台的俄国人，名叫康泰尔。这个康泰尔个子很高，腰板粗壮。据说，他的力气和武艺在俄国是数一数二的。他到过欧洲好几个国家，一路上大摆威风。来到北京之后，便自称“世界第一大力士”，整天吆喝着看谁敢和他比高低。一连两天过去了，无人应战。

中国的武术是天下闻名的，为什么没有人前去与他较量呢？倒不是被他那威风凛凛的样子吓住了，主要是因为那时的军阀政府一见外国人摆擂台，便诚惶诚恐，派兵保护还不算，如果中国人打败了他们的洋主子，还要寻衅找茬儿，所以中国的武术家虽多，都不大愿意去找外国人打擂。

“你们这些东亚病夫，怎么连个像样的硬汉子都没有？难道让我白来一趟中国不成？”康泰尔见没有人来与他比武，更加狂妄了，竟然在五色土平台上乱骂，游客们都气坏了。

游客中有一位白发老人实在听不下去了，拉了同伴一把，说：“看他狂妄的样子！走，咱们去把‘神力千斤王’请来，给他一个下马威！”

这位老人是河北沧州人，沧州是武术之乡，他的同乡里有的是武艺高超的强手。“神力千斤王”是指王子平，他的武艺是首屈一指的。

“神力千斤王”的称号是有来历的。一次，王子平在济南柳园喝茶，看见许多茶客簇拥在一座水推磨旁看热闹，他也凑了过去。水磨转得飞快，怪有意思的，王子平也看着入了神。忽然，他觉得可以利用这水磨试试自己的膂力。他挽起了衣袖，一本正经地请左右的人闪开一点儿。这时候，人们才知道他要按水磨了，于是围观的人里三层外三层地挤了个水泄不通。王子平运了运气，沉着地摆好架势，只见他不慌不忙地伸出手去用力一按，果然那飞转的水磨不转了。从此，王子平便得了个“神力千斤王”的称号。许多人不知道王子平的名字，但沧州有个“神力千斤王”却妇孺皆知，无人不晓。

老人找到了王子平的住处，把从五色土平台那里听到的康泰尔的话学了一遍。

“这种人，本不值得理睬他，可是也实在太欺侮咱们中国人了！”王子平气不过，决定去教训康泰尔一顿。

“中国人不是好惹的”

王子平到五色土平台去找康泰尔比武了。

打过招呼之后，王子平便跳上五色土平台。他还没摆好姿势呢，康泰尔便挥着拳头过来了，幸亏王子平的身子十分灵活，立刻机警地闪开了。康泰尔落了个空。等康泰尔回过身来，王子平便打起拿手的“五路查拳”，向康泰尔袭去。一开始康泰尔还能招架，过了一会儿，就招架不住了，他踉踉跄跄地倒退了几步，摔下台去了。

“中国人不是好惹的，领教过了吧？”

“嘿嘿，看你还敢不敢口出狂言！”

……

真解气呀，人们七嘴八舌地嚷开了。喝彩声、取笑声、鼓掌声，顿时四起。

公园里的游客从四面八方纷纷向五色土平台涌来……

康泰尔羞愧不堪，狼狈地从人群中分出一条路，赶紧溜走了；人们却在公园里久久不散，个个扬眉吐气。从此，康泰尔再也没脸在中国摆擂台了。

“你眼里还敢没有中国人吗？”

两年以后，王子平应邀在青岛冀德会馆作公开表演。他表演的劈石等精彩节目，一时轰动全城。

青岛有一所美国人办的学堂，学堂里的体育教员阿拉曼有点儿武艺，便自命不凡，他竟然跑到会馆去向王子平挑战。他扬言说：“我就不相信中国人有什么神通！”这番话激怒了王子平，他说：“这年头，洋人在中国到处横行，这个找上门来的洋人，我要好好教训教训他，让他知道知道中国人的厉害！”

比武开始的时候，阿拉曼笑嘻嘻地走上前去，伸出手来，表示要和王子平握手。王子平以礼相待，便也伸出手去。哪知这是阿拉曼的诡计，他握手的时候拼命用力，想用这招先发制人。王子平没有思想准备，手被握住以后，不一会儿就隐隐作痛了。阿拉曼得意地更用力了。王子平立即用左手向对方一搡，给他来一手摔跤的功夫。看上去，出手并不重，但阿拉曼的身子立刻就失去了重心，扑通一下倒在地上了。阿拉曼哪肯服输，叽里呱啦地叫嚷了一阵，又纵身扑来，这一回他败得更惨了，没几下，王子平就把他摔得爬不起来了。

阿拉曼不甘心，第二天搬来一个叫柯芝麦的德国大力士当救兵，要与王子平再次较量一下。王子平见到柯芝麦后说：“比武，在中国有两种比法，一种叫君子斗，一种叫小人斗，你任选一种吧!”

“这怎么讲？”

“君子斗，讲守规矩，不伤人；小人斗嘛，那就流血伤骨。”

柯芝麦听了，连声说：“君子斗！君子斗！”

比武一开始，柯芝麦就像头饿虎似的又扑又跳地冲了过来，来势很猛。王子平的打法，刚柔相济，看上去好像不猛，其实劲头很足，左一挡、右一划的，没几下就把柯芝麦撂了好几个跟头。倒了允许起来，接着几个跟头下来，柯芝麦就一点儿力气也没有了。

“钦佩！钦佩！”柯芝麦又被摔了一个跟头之后，打手势要求停战。

“服不服？”

“服了，服了！”

“你眼里还敢没有中国人吗？嗯？”

“不敢了，不敢了，真的不敢了……”柯芝麦连声讨饶。

“你可以走了，走吧！”

可是柯芝麦却不走，他提出了要拜“神力千斤王”为师的要求。

“我是不收洋徒弟的。你们现在已经这样作威作福，学了武艺去，不知要怎样横行呢！”

柯芝麦还是纠缠不停：“我每月有800元的收入，情愿拿出300元来，作为酬谢，怎么样？”

“你把800元全给了我，我也不会向你传授任何本领的！”

“那……”

不知柯芝麦还想说些什么，王子平已经一转身，撇下他，顾自大步流星地走了。

为中华民族扬威

王子平不仅把俄国的康泰尔、美国的阿拉曼、德国的柯芝麦打得一败涂地，而且把日本的柔道家宫本也挫败了。亲日派军阀为此曾下令抓他，弄得他只好四处颠沛，闯荡江湖。

1921 年，一个叫沙利文的美国人，在上海万国竞武场设下擂台。他串通两个英国人在报纸上为他大吹大擂，说什么在中国，根本找不出沙利文的对手，还转述了一些沙利文说的侮辱我国人民的话。我国武术界人士气愤不过，聚会商议，大家一致推定王子平去打擂台，灭灭沙利文的气焰。于是，王子平被请到上海来了。

在王子平与沙利文交手前，双方派代表先举行了会谈，达成了几项协议，其中有：双方在比武前，要面向观众讲几句话，表示一下礼节，比武要光明正大，不许违反规则，施放暗箭……

到了规定的日子，万国竞武场座无虚席。

王子平上场了。他向热烈欢迎他的观众频频扬手之后，刚讲了两句，冷不防地有一个彪形大汉蹿了过来——他，就是沙利文。

多年的比武经验使王子平反应十分敏捷，他一闪身，就避开了对方的偷袭。

沙利文的双眼冒着凶光，与王子平周旋着，想寻找下手的时机。但是他左探右探，也没有发现有可钻的空子。好不容易找到了一个机会，猛地一拳打出去，万万没有想到王子平也在这时候飞起了一脚，沙利文拳头打空了不说，腰间还重重地挨了一脚。

王子平在飞起一脚的时候，大喝一声："瞧着！这一脚为中华民族扬威!"随即又上去补了一拳："瞧着！这一拳教你记住，不许再欺侮中国人!"

台下的喝彩声不断响起，掌声雷鸣，震动了全场。

沙利文却不知在什么时候偷偷地溜走了。

根据双方事先的协议，比武应该进行 3 场，但是沙利文再也不敢交手了。这天晚上，他派人送来了字条，声明协议作废，不再比下去了。

王子平让来人带回口信说："他们不赛，我偏要赛，明天上擂台，见一个打一个！"

第二天，当我国武术界派代表去交涉的时候，沙利文竟然不知去向了。

（选自《我是中国人》，纪恩编）

王子平（1881年—1973年），河北沧州人，回族，字永安。出身武术世家，自幼习武，擅长查拳与太极。王子平和佟忠义并称"沧州二杰"。王子平热心培养接班人，在武术与伤科界为国家培养了不少人才。

“诗界革命之巨子”

——爱国诗人丘逢甲的故事

丘逢甲是我国近代台湾著名的爱国主义诗人。早在20世纪初，维新派领袖梁启超就把他同黄遵宪并誉为晚清“诗界革命之巨子”。著名诗人柳亚子更有诗赞曰：

时流竞说黄公度，
英气终输仓海君；
战血台澎心未死，
寒笳残角海东云。

这首诗，热情歌颂了丘逢甲当年保卫祖国、血战台湾、内渡回乡后雄心不灭的爱国精神和英雄气概。奔放优美的诗句，生动地概括了这位爱国诗人的一生。

丘逢甲晚号仓海君，世称“仓海先生”，诗文别署“海东遗民”“南武山人”等雅号。1864年，丘逢甲出生于台湾省苗栗县铜锣湾的一个塾师家庭里，幼随父教读，聪颖超人，抱负远大。

他6岁左右就能写诗作文，14岁参加童子试，获全台湾第一名，被誉为“东宁才子”。接着，他先后进入筱云山庄和海东书院学习。1884年中法战争爆发后，丘逢甲日益关心国家和民族的命运，他常“以天下为己任，恒为大吏阵国家大计”，撰写了《穷经致用赋》《全台利弊论》等文稿，受到台湾各界的好评。1888 年，他考取举人，第二年春天，24 岁的丘逢甲又到北京参加会试，考中进士。光绪皇帝钦点他为工部主事。但年轻的丘逢甲无意在京做官，他以亲老为由，告假回到台湾，主要从事讲学，同时兼任《台湾通志》的编纂工作。

1894 年，中日甲午战争爆发，熊熊烽火燃遍辽东，几万清军望风溃败。虎视眈眈的日寇和腐朽无能的清政府，使丘逢甲预感到台湾的厄运即将来临。正如丘逢甲后来在《离台诗》中所大声呼喊的：“成名竖子知多少，海上谁来建义旗？”就在 1894 年中秋节前后，丘逢甲毅然举起义旗，号召人民起来“抗倭守土”。他竭尽全力，四出奔走，向人筹募经费，捐献自己的家财，并召集了一批台湾青年，组成一支义军，亲自担任“义军统领”，加紧操练，准备抗战。

1895 年 4 月，清政府恬不知耻地在卖国的《马关条约》上签字，将台湾割让给日本。消息传来，台北人民立即鸣锣罢市，愤怒抗议，他们“愿人人战死而失台，决不愿拱手而让台”。丘逢甲更是悲愤异常，“刺血三上书”，痛切陈辞，坚请清政府废约抗日。光绪皇帝的老师翁同龢在日记中记述道：“丘逢甲电，字字血泪，使我无面目立于人世矣！”然而，清政府不顾人民反抗，执意倒行逆施，不肯废约。丘逢甲愤激地说：“清廷虽弃我，我岂可复自弃耶？”形势如江河直下，日趋紧张。

1895 年 6 月初，清政府迫不及待地在一日之间，就匆忙办理完“让渡”台湾的移交手续，日军主力近卫师团乘大批船舰，扑向基隆。丘逢甲得此噩讯，立即从苗栗率领义军疾驰抵抗，刚到新竹，便与日军主力遭遇。日本侵略军用新式快枪凶狠扫射，义军顽强不屈，拼死搏斗。经过 20 多个昼夜的激战，义军寡不敌众，弹尽粮绝，终于被分割包围。丘逢甲英勇杀敌，战斗到身边只剩下几名亲随，才撤进深山密林。他们历尽艰辛，辗转在陡峰狭谷，躲过日寇搜捕，最后找到船只，便含恨渡过浩渺大海，回到了大陆。

1895 年秋，丘逢甲来到广东蕉岭淡定山村定居。他积愤难平，时刻都在焦虑着国土破碎、家乡沦亡的惨痛现实，眷恋着台湾的山山水水和骨肉同胞，坚持着收复失地、洗雪国耻的顽强信念。他挥起英气凌厉的巨笔，饱蘸忧国忧民的血泪，写下了洋溢着炽热爱国主义激情的动人诗篇。从 1895 年到 1911 年，他先后写了 2000 多首诗，后来选出其中1700 多首，辑成《岭云海日楼诗钞》。这些诗歌，真挚地寄托了丘逢甲誓报国仇、统一祖国的情思，也深刻地反映了 19 世纪末期中华民族的苦难。

丘逢甲朝夕怀念挣扎在日寇铁蹄下的台湾父老兄弟，即使是岭南的宜人春色也遣散不了他的愁思：“春愁难遣强看山，往事惊心泪欲潸。四百万人同一哭，去年今日割台湾。”为了不忘“十九州成大一统”的爱国志愿，丘逢甲将儿子丘琮改名丘念台，将自己的房舍命名“念台精舍”，还在《送颂臣之台湾》一诗中写道：“亲友如相问，吾庐榜念台。全输非定局，已溺有燃灰。弃地原非策，呼天傥见哀。十年如未死，卷土定重来。”丘逢甲坚信宝岛台湾一定能够回归祖国的怀抱，恳切地叮嘱台湾的父老乡亲永远记住自己是中华儿女！他还经常教育后代：“台湾同胞四百万，尚奴于倭，吾家兄弟子孙当永念仇耻，勿忘恢复。我希望汝辈树捍卫国家民族之勋业耳！”

19 世纪末 20 世纪初，帝国主义侵略中国的狂澜恶浪，使丘逢甲发出了深沉痛苦的感叹“九州无地不胡尘，难觅名山老此身”“东南已无干净土，半壁江山半腥血”。这种感叹，强烈地反映出他为国担忧的焦急心情。对祖国的忠贞，对敌人的仇恨，终于凝聚成丘逢甲暴雷般的呐喊：“丈夫生当为祖豫州，渡江誓报祖国仇，中原不使群胡留!”这位爱国诗人反抗外敌、捍卫祖国的忠心赤胆，是何等强烈、鲜明啊!

丘逢甲对清政府的腐败昏聩也是深恶痛绝的。他曾作《海军衙门歌》《虫豸诗》等对清政府予以无情鞭挞：“我不能工召洋匠，我不能军募洋将”“战守无能地能让，百万冤魂海中葬”……

同时，他还尖锐地讽刺那些嗜血成性的封建官吏“全无心肝”“一官便具奴才性”“伺人怒喜为怒喜，不知国仇况国耻”的丑恶嘴脸。

丘逢甲在运用诗歌形式纵情抒发自己爱国主义胸怀的同时，还认为振奋民气、启迪民智乃是拯救民族危难的当务之急。所以他内渡不久就积极献身于教育事业，先后在潮州韩山书院、潮阳东山书院、澄海景韩书院担任主讲。相继担任了两广学务处视学、广州府中学堂监督、两广方言学堂监督、广东教育总会会长，被推崇为当时广东最有名望的教育家之一。

20世纪初期，以孙中山为代表的资产阶级民主革命正声势浩大，迅猛向前。丘逢甲跟随历史的发展，逐步转向革命，于1908年秘密加入同盟会，为掩护革命党人做了大量工作。革命洪流滚滚向前，1911年10月，传来了武昌起义的胜利炮声。丘逢甲欣喜若狂，赋诗讴歌辛亥革命的胜利：“郁郁钟山紫气腾，中华民族此重兴。江山一统都新定，大纛鸣笳竭孝陵。”丘逢甲心情振奋，热烈欢呼“中国睡狮今已醒”，自谓“内渡十七年，无若今日快心者”。

在大好的革命形势下，丘逢甲积极推动广东和平光复，并且担任了广东革命军政府的教育部长。不久，他被推举为广东出席南京临时政府成立会议的三位代表之一，还在会上当选为中央参议院参议员。丘逢甲在南京出席会议期间，因国事操劳过度，肺病复发，口吐鲜血，只得中途退席，仓促返回广东。

1912 年 2 月 25 日，丘逢甲病情恶化，与世长辞。弥留之际，他仍不忘嘱咐亲属：“葬须东向，吾不忘台湾也。”再次表达他终生眷恋故乡、誓报国仇的真挚感情。

丘逢甲祖居地印山村后山坡上四季葱茏的树木，似乎也像长眠在墓穴中的这位爱国志士一样，至今还在挺秀南天，企首东望，期待着台湾早日回归，实现祖国的统一大业。

（选自《振兴中华的先驱》）

丘逢甲（1864 年—1912 年），近代诗人，曾讲学台南、台中各书院。后与台湾军民一起抵抗日本侵略。曾任广东教育总会会长、广东咨议局议长。民国成立时，被选为参议院参议员。其诗充满爱国激情，著有《岭云海日楼诗钞》等。

“中国人的光荣”

——铁路工程专家詹天佑的故事

詹天佑是一位伟大的爱国主义者，周总理称他是“中国人的光荣”。地质学家李四光说：“詹天佑完成的事业给中国人出了一口大气!”这些赞誉，詹先生当之无愧。

勤学上进　刻苦攻读

詹天佑原籍安徽婺源县，曾祖父因经商携家眷迁到广东，其父经营的茶庄毁于鸦片战争，家道中落，迁到南海县，1861 年 4 月 26 日先生即诞生于此。这时西方资本主义势力已侵入中国。先生读私塾时，常听老一代人讲述列强侵略中国的野蛮行径。他敬仰林则徐的远见卓识，钦佩关天培的为国捐躯，对家乡和三元里人民的抗英斗争更是倍加赞扬，常把听到的故事讲给同学们听。他逐渐懂得，洋人之所以扬威称霸，依靠的是“船坚炮利”；中国的落后孱弱，除封建王朝腐败无能外，主要是缺乏近代科学技术。他常以泥巴仿制各种机械，有时在自鸣钟旁待上几个小时，观察其运行的原理。街坊邻居们也把搜集的螺丝等零件送给他。安徽茶商谭伯村先生 (詹夫人谭菊珍之父) 经常往返于香港、澳门。见詹天佑勤学上进，每次回来时，必带回一些外国画册、报刊及机械玩具送给他，詹天佑如获至宝。

1872 年，清政府批准了容闳先生“派遣幼童赴美留学”的计划，并在香港招生。詹天佑在谭伯村先生及家人的支持下赴港应试考中，时年仅 11 岁。詹天佑及其他幼童共 30 人第一批由上海远航赴美，九月抵达马萨诸塞州春田市。

在美国，詹天佑 1873 年末入威士哈芬小学，1876 年以优异成绩考入纽哈芬希尔豪斯中学，1878 年考入耶鲁大学，进入土木工程系铁路工程科。大学四年中，詹天佑刻苦攻读，二年级即获得数学奖学金，考试成绩为全校第一名，毕业时写出著名的《码头起重机的研究》论文，受到师长和同学们的称赞。

以学报国　初露锋芒

1881 年8 月，詹天佑获得学士学位回国。离美前有的同学曾忠告说：“贵国贫穷，既无筑铁路之器材，亦无筑路之人才，以君之学识，如应聘美英，当可宏图大展，阁下之生活亦可丰裕。”詹天佑对这些赠言，淡然处之。

詹天佑归国后，并未受到重视，辗转 7 年，学非所用，直至 1888 年经留美同学介绍才到中国铁路公司任工程师。当时清政府和洋务大臣们虽然也感觉到修筑铁路之必要，但认为“偌大工程，非举外债用洋匠不可”。他们聘英国人金达为总工程师，詹天佑只是处于辅助地位。詹天佑在修筑关内外铁路时，都是亲临一线与员工们一起工作，经过不断实践，技艺日臻完善。詹天佑非常勤奋，日间在工地工作，夜晚在油灯下写总结，存有日记数十万言，是我国铁路史上十分珍贵的文献。

1892 年，詹天佑在金达安排下督修古冶至滦州铁路，架设滦河大桥是关键工程，金达见有油水，即公开招标。起初日本人以低价中标，但架桥失败；后又让法国人承修，因勘探马虎，水流急湍，又未成功。金达怕误了工期影响自己的声誉，不得已同詹天佑商议。经詹天佑精心勘探后，果敢地把这项重担承接过来，改变了日、法工程师的桥墩位置，请来滦河两岸习于水性的壮年农民数十人，詹天佑亲自说明为国争光的意义和具体要求，农民们轮番潜入急流中打桩，同时配以空气压缩沉箱，很快把滦河大桥架成了，各国在华洋匠莫不叹为观止，金达也暗中心服。

正在詹天佑修筑关内外铁路时，由于清政府的无能，我国发生了两件大事：一件是中日甲午战争，清政府被迫签订了《马关条约》；另一件是八国联军攻陷北京，清政府又被迫签订了丧权辱国的《北京条约》。除割地赔款外，列强还在我国划分势力范围，攫取了在我国修筑铁路的特权，以进一步控制我国的交通命脉，进行经济、政治侵略。八国联军入侵后，关内外铁路被英、俄两军占领，詹天佑被调往萍醴铁路任工程师。

1900年，慈禧要于来年春天乘火车去易县西陵祭祖，直隶总督袁世凯负护驾职责。为讨好慈禧，他上书筑新（新城）易（县）长56里的铁路，使銮驾不下火车即可直达陵寝。慈禧降旨要6个月修好该路。袁世凯委任金达为总工程师承修，但法国公使提出抗议说：“京汉铁路为借法资所建，新易为京汉支线，应由法国承修。”英、法争执不决。袁世凯怕误了工期，急忙向詹天佑咨询：“能否不用洋匠，于4个月内由先生修好该路？”詹天佑经全线勘察后，承担了这项任务。时间紧迫，又在隆冬季节施工，困难极大。他想，中国自己修铁路还是首次，事如不成，当贻笑外邦，国人就更难有出头之日！在一片爱国热忱的促使下，他昼夜奔波于工地上，每天奋力工作15个小时。据西方筑路规范，路基修好后，须风干一年才能铺轨。詹天佑采用他创造的新技术，只用4个月即胜利通车了。慈禧与王公大臣们乘火车祭陵时非常高兴，袁世凯对詹天佑的才华也很佩服。此路虽然经济意义不大，却是不用洋匠洋资，由中国人自己修成的，为以后修筑京张铁路增强了信心。

以为国争光为己任

1904年清政府为国防民用所需，仍拟借英资聘金达为总工程师修筑京张铁路。但根据《辛丑条约》规定，北京以北为俄国筑路权限，为此，俄国提出抗议，英、俄双方又争执不下。后来他们达成默契，共同向中国政府提出："在中国不借外债、不聘外国工程师的条件下，该路允许中国政府自行修筑。"他们估计："詹天佑虽然技艺卓群，但孤掌难鸣，而且原材料不足，必然会破产，那时再来收拾局面，则更可获利。"清政府请詹天佑来商议，詹天佑断然提出："此路早成一日，公家即早获一日之利益，商旅亦早享一日之便安，亦可早杜外人一日之觊觎。"袁世凯和清政府已领略詹天佑的才能，遂坚定了自行修筑京张铁路的决心，委任詹天佑为会办兼总工程师（后任总办）。詹天佑爬山越岭进行勘探，选了3条路线加以比较，最后决定：全路自丰台经居庸关、八达岭等地至张家口，全长约200千米。难度最大的是南口至岔道城一段工程，必须在居庸关、石佛寺等开凿4条隧道，总长约1645米。其中八达岭隧道即长达1091米，且关沟一段路基逐渐升高。1905年10月，这一宏大工程动工了，根据当时我国的条件，既无凿山机械，亦无黄色炸药。于是詹天佑请来石匠一起研究，终以普通钢铣，手抡大锤，深开炮眼，以奏开山之效。为加快工程进度，隧道两端同时动工。八达岭隧道先开天井，相向作业，1908年5月，4条隧道终于打通了。金达等以打猎为名，到南口私窥筑路情况，工人们站在山坡上高喊道："洋鬼子们开开眼吧！中国人自己也能修铁路啦！"

工程进行中，因山陡负荷量大，运送物料车厢间的链条折断，列车颠覆山下，外国人高兴地大肆宣扬说："中国哪能自修铁路，詹天佑将被撤职查办。"詹天佑虽然难过，却毫不灰心。

京张铁路于1909年10月2日全线通车，并举行了通车大典。是日于南口高搭彩棚，邀中外记者、来宾及各国在华使节等万余人出席，政府派尚书徐世昌等莅会祝贺，对詹天佑倍加赞扬："科学精深，名闻中外。"又钦赐詹天佑进士出身，加二品衔，月俸纹银600两，以示嘉奖。香港大学特赠詹天佑博士学位，英、美工程学会都特聘詹天佑为正式会员。最后詹天佑在典礼大会上登台讲话说：“京张铁路确系国人所建，工程之顺利完成，绝非天佑个人之功，端赖全体员工及沿途百姓之努力耳……”詹天佑又踏上新的征途到武汉勘探修筑粤汉铁路，并任总工程师。他先后担任过洛潼、沪杭甬、川鄂等铁路的总工程师。总之，中国的铁路事业是与詹天佑分不开的。

1917年，俄国十月革命成功，美、英、法、意等帝国主义出兵干涉，企图对西伯利亚和我国中东铁路进行“监管”。1919年3月，以美国为首在海参崴举行会议，邀请中国政府派代表与会，民国政府派詹天佑为首席代表参加。当时詹天佑已患病，身体非常虚弱，但为了祖国的利益，仍抱病北上。会间不畏强暴，义正词严地反对对我中东铁路共管，力争驻兵权和管理权。他不停地往返于海参崴与哈尔滨之间，天气严寒，加之疲劳过度，痢疾复发，紧急返回武汉医治，住院3天，便与世长辞了，终年58岁。噩耗传出，举国哀悼。根据詹天佑的遗愿，灵柩北运，安葬于北京西郊。

(选自《中国教育报》作者史立德)

詹天佑（1861年—1919年），字眷诚，号达朝。他是中国近代铁路工程专家，被誉为中国首位铁路总工程师。有“中国铁路之父”“中国近代工程之父”之称。

为天下人谋永福

——革命英雄林觉民的故事

辛亥革命时期，黄花岗七十二烈士之一的林觉民在牺牲前，曾用血和泪写下广为流传的《与妻说》："汝体吾此心，于啼泣之余，亦以天下人为念，当亦乐牺牲吾身与汝身之福利，为天下人谋永福也。"这种为国为民、视死如归的气概，正是汇成争取独立自由历史潮流的伟大精神力量。

林觉民13岁进福建高等学堂，开始接触资产阶级民主革命思想，认为"中国非革命无以自强"，因此被推为学生运动的首领。1907年自费到日本留学，次年进庆应大学，学习文科学哲学。这期间，他参加了孙中山领导的同盟会，一边学习，一边为革命而奔走。后来被他父亲知道，怕引来大祸，便经常写信规劝他。林觉民复信说："大人所不安者，恐儿学非所用，将有杀身之祸。今习文科，文科主心理、伦理诸学，岂有学心理、伦理之人而得祸者？"他坚信自己所选择的道路是正确的，以更大的爱国热忱投身革命。

1911年春，为了推翻清政府的统治，同盟会决定在广州举行一次大规模的武装暴动。林觉民接到该会领导人黄兴、赵声的通知以后，满怀热血赶到香港，随即回家乡召集几十名福建同志同到香港，准备起义。起义前3天，即4月24日夜，他给父亲和妻子写了绝命书，决心为革命决一死战。

在给父亲的绝命书中，他写道：

不孝儿觉民叩禀父亲大人：

儿死矣，惟累大人吃苦，弟妹缺衣食耳；然大有补于全国同胞也。大罪乞恕之。

他给爱人的绝命书写在一块白手绢上。绝命书中充满了牺牲自己，为全国同胞争取自由幸福的革命精神。读后，感人至深，催人泪下。下面仅摘录几段：

意映卿卿如晤：

吾今以此书与汝永别矣！吾作此书时，尚是世中一人；汝看此书时，吾已成为阴间一鬼。吾作此书，泪珠和笔墨齐下，不能竟书而欲搁笔，又恐汝不察吾衷，谓吾忍舍汝而死，谓吾不知汝之不欲吾死也，故遂忍悲为汝言之。

吾至爱汝，即此爱汝一念，使吾勇于就死也。吾自遇汝以来，常愿天下有情人都成眷属；然遍地腥云，满街狼犬，称心快意，几家能够？……吾充吾爱汝之心，助天下人爱其所爱，所以敢先汝而死，不顾汝也。汝体吾此心，于啼泣之余，亦以天下人为念，当亦乐牺牲吾身与汝身之福利，为天下人谋永福也。

吾今死无余憾，国事成不成自有同志者在。依新已五岁，转眼成人，汝其善抚之，使之肖我。汝腹中之物，吾疑其女也，女必像汝，吾心甚慰。或又是男，则亦教其以父志为志，则我死后尚有二意洞在也。甚幸，甚幸！

林觉民挥笔疾书，一直写到第二天破晓。他把信交给一位同志，说：“我死，幸为转达。”

起义前夕，林觉民在从香港到广州的船上，对一位同志讲道：“这次

起义如果失败，牺牲的同志必多，一定会感动同胞。同胞们一旦奋起，光复神州，重兴祖国，那么我们虽然身死，还像活着一样。”

1911 年 4 月 27 日下午 5 点半，林觉民等 100 余人，臂缠白巾，脚穿黑面胶鞋，手执枪械炸药，吹响海螺，随黄兴猛攻总督衙门。卫兵进行顽抗，林觉民等枪弹齐发，击毙卫队，冲入衙门。两广总督张鸣岐闻风而逃。林觉民等愤然放火焚烧了总督署。当他们退出衙门的时候，与清兵发生了激战。战斗中，革命党人英勇顽强。喻培伦胸前挂着满满的一筐炸弹，一边冲锋一边投弹，吓得敌人胆战心惊。黄兴右手受伤断了两指，还坚持指挥作战。林觉民腰部中弹倒地，仍跃起来杀敌，后因伤势过重不幸被捕。

林觉民被捕后，总都张鸣岐、水师提督李准等人亲自审讯。起初，林觉民坐在地上侃侃而谈，综论世界大势和各国时事。审讯者倾耳以听，吓得丧魂失魄。为了套取口供，张鸣岐、李准下令去掉镣铐，给以座位，拿了笔墨，甚至亲自捧上唾盂，献上茶烟。林觉民纵笔一挥，洋洋洒洒写了数千言的自述。写到激烈处，解开衣扣，以手捶胸，无限悲愤。写完以后，又在堂上演说，讲到时局令人悲痛的地方，顿足捶胸，声泪俱下。他奉劝清朝官吏洗心革面，革除暴政，建立共和，说只要国家富强，自己死了也瞑目。

面对林觉民临难不屈、视死如归的革命精神，杀人如麻的张鸣岐惊惶丧胆。他对身旁的文书私语道：“惜哉！林觉民。面貌如玉，肝肠如铁，心地光明如雪，真算得奇男子。”文书说：“这样的人才正是国家的元气，大帅可以成全他呀！”张鸣岐凶相毕露地说：“这样的人才留给革命党，为虎添翼，那还了得。”说罢，立即判处死刑。

林觉民在狱中粒米不进，临刑时，引颈就戮，面不改色。这时，他年仅 25 岁。

总计这次起义，被捕后就义者 29 人，其他战死者当时无法知道确数。事后，人们在烈士们曾经战斗过的地方捡得遗骸 72 具，安葬在广州白云山麓黄花岗。从此，“黄花岗七十二烈士”之名轰动全国，名闻海外。每年都有成千上万的人来瞻仰、缅怀这些为国捐躯的先烈们。

（选自《可歌可泣的爱国主义精神》，赵树林编）

林觉民（1887 年—1911 年），近代民主革命烈士、爱国英雄。福建闽侯人。留学日本回国后参加广州起义（黄花岗之役），受伤被捕，从容就义。

电影院里的怒吼

——戏剧家洪深的故事

电影已经放映好一会儿了，但是电影院里老是静不下来，悄悄的议论声此起彼伏，还不时听到有人在轻声唾骂……

突然，人们听到了重重的“啪”的一声——这是座椅的活动坐板竖立起来的声音，有人从座位上站了起来。接着，一声怒吼响彻了大厅，把影片的对话声和音乐声都淹没了：“同胞们！这部影片这样侮辱我们中国人，我们不能允许它放映下去！”

发出这声怒吼的是一位30多岁的男子。他转过脸来，挥动着拳头，面向大家，还连连呼喊着：“我抗议！我抗议！”

后来，人们才知道这位抗议的人原来就是戏剧家洪深。

当时是1929年，洪深35岁，担任上海明星影片公司的编导，并主办复旦剧社。他创作的《赵阎王》剧本和拍摄的《劫后桃花》电影，早已在群众中产生了巨大的影响。

洪深为什么要大声呼喊抗议呢？因为电影院里放映的这部美国拍摄的影片《不怕死》，充塞着侮辱中国人的内容，有许多镜头都是嘲弄中国人的，把中国人描绘成了愚昧不堪、受了侮辱也不知反抗的蠢货，这激起了洪深的极大愤慨。

当时，这部影片在上海的大光明和光陆两家电影院同时放映。这两家电影院都是外国人开设的。

洪深的吼声刚落，许多观众也都忍无可忍地嚷嚷了起来——

“抗议！抗议！”

“禁止放映这种浑蛋片子！”

“退票！退票！”

……

一时间，电影院像沸腾的油锅撒进了几把盐粒一样……

电影放映不下去了。

人们纷纷涌向售票房，要求退票。

电影院的老板没有法子了，只好停映影片，售票房也只得给观众退票。

但是没过几天，洪深被捕了，罪名是“扰乱治安”，大光明电影院的老板还提出了要洪深赔偿损失的无理要求。

洪深被捕以后，10名进步律师联名向法院上诉，许多社会知名人士也纷纷站出来说话了，不少报刊还发表了支持洪深的文章，他们提出：制作这部辱华影片的公司必须向中国人民道歉；这部片子不许再放映；大光明电影院还必须登报向戏剧家洪深公开道歉，并且赔偿他的名誉损失。

经过一个多月的斗争，大光明电影院的老板最终失败了。

洪深释放出来以后，复旦剧社等团体为了庆贺斗争的胜利，举办了一次酒会。在酒会上，人们纷纷向洪深祝酒，表示敬意。

一位老朋友敬酒的时候，问洪深：“听说大光明电影院向您赔偿名誉损失费的时候，您只要了一元钱，是吗？”

“是的，只要了一元钱。这是一种象征性的赔偿。”洪深微笑着说。

“嗯？”这位老朋友显然感到诧异。

其实，不仅是这位老朋友，许多人都对洪深只要一元钱的名誉损失赔偿费感到很不理解，他完全可以要几十元、上百元嘛，可是他只要了一元钱。

洪深看出了他们的心思，便郑重其事地对大家说：“我要的是祖国的尊严，而不是别的什么，他们赔一元钱，就足以说明他们失败了；我个人如果向他们多要钱，人家会以为我图的是钱呢。我图的绝不是这个。”

啊，原来是这样！这番话赢得了人们对这位戏剧家更深的敬意。

（选自《我是中国人》，纪恩编）

洪深（1894年—1955年），戏剧家，江苏武进（今江苏常州）人。早年留学美国，专攻戏剧。回国后从事革命文艺运动，曾任“中国左翼剧团联盟”总书记、中国戏剧家协会副主席等职。

在舞台上惩办卖国贼

——戏剧家熊佛西的故事

五四运动像一声春雷，震撼着祖国的大地。自从爱国青年火烧赵家楼、痛打卖国贼之后，个性解放、人道主义、劳工神圣、反对封建专制、争取爱情和婚姻自由所汇成的思想洪流以不可阻挡之势，冲开了禁锢的闸门，奔向了社会的各个角落，滋润着广大青年的心田。就在这一年，熊佛西以优异的成绩在辅德中学毕业了，接着就考取了燕京大学。

熊佛西在汉口编过文明戏，演过文明戏，是个小有名气的人物。他刚进入燕京大学不久，就遇上校内的青年会准备为演文明戏而筹款。负责这项工作的刘君苦于找不到剧本和演员，这时有人就把熊佛西介绍给他。当刘君找到熊佛西，提出要编一个剧本并负责排演时，熊佛西立即毫不迟疑地答应了。

晚饭后，太阳刚刚落山，熊佛西回到宿舍，就在桌子上摆了一本稿纸。他是个痛快人，接受任务后说干就干，决不拖延。经过考虑，他决定将刚看过的一篇小说《十万金镑》改编为剧本。故事的基本内容是：青年王广清在日本留学时，因受外人的歧视，深感祖国危弱的痛苦，就咒骂国内的贪官污吏，表示将来学成归国后，一定做一个救国救民的好男儿。他的这番话，赵玉凤女士听到后很受感动，就对王广清表示了自己的爱意。

王广清学成归国后，即被政府派为驻外公使，上任后遇到外国官员丘必克以十万金镑为诱饵，让他在一份出卖祖国资源的契约上签字。而此时的王广清早已不是当年的他，已变得利欲熏心，就接受贿赂签了字。女友赵玉凤知悉后，愤怒痛斥他的卖国行为，并当场将王广清击毙，以警示卖国贼。

夜晚，燕京大学的校园里有几盏稀疏的路灯，仿佛几颗星星似的闪着微弱的光芒，此起彼伏的蟋蟀叫声更显出夜的寂静。此刻熊佛西正伏在桌前，就着一盏微弱的灯光在奋笔疾书。当他写到王广清在日本受到歧视而产生无限的感慨时，就为他设计了一段内心独白：

祖国，我的母亲！茫茫大海把我和您隔开了。您可知道一个身在异国的游子对您的思念？从旭日东升到日落西山，他时时刻刻都在怀念着您！

祖国，我的母亲！您受欺凌，您受压迫！您太贫穷，您太软弱！您可想到您的儿子在国外所受的歧视和侮辱？您可知道他多么渴望您的繁荣和富强？

祖国，我的母亲！您是否知道是谁在宰割您的肌体？是谁在吸食您的血肉？那是您的不肖子孙，社会的败类，人类的蠹虫——贪官污吏！

祖国，我的母亲！请相信您的儿子吧！他虽然身在异国，却不会忘记您的养育之恩！他热爱祖国的土地，他要用自己的汗水和智慧去开拓、去耕耘，他要把青春的智慧献给这块土地，让她开出最美的花，结出丰硕的果！

夜深了，宿舍里的同学都在静静地睡着，可是熊佛西却一点儿睡意也没有，他的笔落在稿纸上的沙沙声，虽然有些单调，却显得异常和谐。他认真地思考着、推敲着，终于写到了赵玉凤惩办卖国贼的慷慨陈词：

好一个口吐谎言的骗子，我今天才算认清了你的真实面目。你口口声声热爱祖国、热爱土地，还有什么要为母亲献出自己的青春。然而有谁想到你爱的不是母亲，而是十万金镑，是你自己！我恨没有早把你看透！

出卖祖国资源的是你，伤害母亲肌体的是你，对人民犯罪的还是你！我不要听你的辩护，你没有权利辩护！

现在，把你押上被告席，我代表祖国来惩罚你这个败类！

天近拂晓，新的一天即将开始了。熊佛西仿佛卸下一副重担似的吐了一口气，面带笑容地放下了手中的笔。

早饭后，他拿着《十万金镑》的剧本向刘君介绍了剧情以后，刘君当场肯定了这出在舞台上惩办卖国贼的剧本，并决定让熊佛西扮演王广清，让邵君男扮女装演赵玉凤。

消息传出去以后，同学周君不以为然，他找到熊佛西说：“密司特熊，像你这样的人，干什么都能干成，为什么偏想做个戏子呢？”熊佛西觉得自己爱好戏剧是无可指责的，可是面对这位轻视戏剧的周君，又不能三言两语说清楚，就拍了一下周君的肩膀，说：“你的好意我理解，可是我对戏剧的爱好又是你不理解的。”这次谈话以后，“戏子”这带有诬蔑的称呼，在熊佛西的脑海里留下了很深的烙印。后来他曾以“戏子”为笔名写剧本、写文章，表示自己立志做一个对人民有益的“戏子”，甘心做一个爱国的“戏子”。

《十万金镑》经过了十几天的紧张排练，于10月初在北京米市大街青年会礼堂公演。观众中除了校内外的中外籍教师、男女同学，还有来宾若干人。开演后，大家既为剧本的曲折情节所吸引，又为它那激昂的爱国主义热情所感动。演出进行中，台下一片寂静。当舞台上的赵玉凤对卖国贼进行惩办时，台上台下立即沸腾起来。整个剧本以艺术的魅力在剧场里掀起了一股无形的波澜，冲击着观众们的心，引起了观众们的强烈共鸣。演出结束后，观众们用热烈的掌声对这出戏加以肯定。

夜深了，熊佛西卸完了装，匆匆地赶回学校，宿舍里的同学们正在起劲地议论着。有的说："《十万金镑》写得好，让人耳目一新!"有的说："祖国就是应当高于爱情，爱情应当有原则，不能丧失原则!"有的说："卖国贼受到惩办，让人看了痛快!"有的说："让那些生活中的卖国贼胆战心惊，他们早晚是要受到惩办的!"同学周君也走进宿舍握着熊佛西的手说："《十万金镑》的效果出乎我的意料，你走的路子对，祝你成功!"

次日，燕京大学的一位来自美国的柴斯教授请熊佛西赴家宴。席间，柴斯教授高兴地说："你刚入学不久，就写出《十万金镑》这样好的剧本，很不容易。你不但写得好，演得也不错。今后你在戏剧方面肯定有光明的前途。"

熊佛西听到柴斯教授的赞扬和鼓励后，对于戏剧的兴趣更浓了。

（选自《中国现代文化名人爱国故事》，作者韩日新）

熊佛西（1900年—1965年），戏剧教育家，江西丰城人。早年留学美国，研究戏剧。他是中国话剧的拓荒者和奠基人之一。

把飞机献给祖国

——航空飞行家冯如的故事

冯如出生于一个贫苦的农民家庭。他12岁的时候，被一位亲戚带到了美国，在那里寻求生路。冯如先是在旧金山耶稣会里当小杂工，后来到了纽约的一家工厂当工人。在工厂里，他从修理和制造机器的过程中，弄懂了许多机械原理。

1903年，冯如从报纸上看到了美国的莱特兄弟制造飞机成功的消息，立即被这一发明吸引住了。他想，美国人能制造飞机，我们中国人也能制造飞机。莱特兄弟能办到的，我冯如也决心要办到！他发誓：研制飞机“成一绝艺，以归飨祖国。苟无成，毋宁死”。

冯如立下了制造飞机的志向，于1906年回到旧金山，在华侨们的热情资助下，开始了飞机的研制工作。他先是查阅了许多关于飞机原理的图书资料，然后试制飞机模型。待有了经验之后，再正式试制飞机。

不料，正在冯如夜以继日地研制飞机的时候，工厂却发生了火灾，把冯如制造飞机的材料都烧坏了。冯如毫不气馁，再次请华侨们帮助，终于在1909年制成了一架飞机。然而这架用血汗换来的飞机，在试飞时发生事故，撞到地上摔坏了。冯如仍不甘心，再次请别人资助，继续研制。

冯如从事故中找出失败的原因，不断改进设计。1910年，冯如终于成功了。他亲自驾驶着自己制造的飞机飞上了天空！冯如成了第一个自己设计、制造飞机并驾驶飞机飞上天空的中国人。他真的成了中国的莱特，当时的冯如年仅 26 岁。同年 10 月，参加国际飞行协会举办的飞行比赛获第一名。

正在这时，孙中山来到美国，对中国人制造出飞机感到非常高兴，亲自观看了冯如的表演。他向冯如表示祝贺，并说道："爱国救国的大有人在!"在孙中山的鼓励下，冯如怀着一颗火红的爱国之心，拒绝了美国人的重金聘任，于 1911 年带着两架自己制造的飞机回到了刚取得辛亥革命胜利的祖国。他说："我要把飞机贡献给祖国。"

1912 年 8 月 25 日，冯如驾驶着自己制造的飞机在广州附近的燕塘表演。不幸的是，由于机件生锈而发生故障，飞机栽落在地，冯如倒在血泊之中。临死的时候他还说："要飞行，难免会有牺牲，你们要继续飞行!"冯如为中国的航空事业献出了宝贵的生命。

（选自《第一个设计、制造飞机的中国人——冯如》，作者韩其洲）

冯如（1884 年—1912 年），广东恩平人。1895 年赴美旧金山当华工，1906 开始设计和制造飞机，1911 年带着自制飞机回国。武昌起义后，曾计划组织北伐飞机侦察队。因飞机失事身亡，葬于黄花岗。

“我爱的是中国”

——文学家郑振铎的故事

1937年11月12日，整个上海地区除了公共租界、法租界这块地盘还保持着原来的局面外，租界的四周全都落入日寇的魔掌中。江南一带所保存的中国古籍文献，也是日本帝国主义的觊觎之物。

抗日战争中，郑振铎一直坚持在上海进行地下斗争，他的目的之一，就是抢救中华民族的宝贵文化遗产。他说：“我要把这保全民族文献的一部分担子挑在自己的肩上，一息尚存，决不放下。”郑振铎为此进行了一场长时间的特殊战斗。

“孤岛”时期的上海，日寇的军队虽然尚未开进租界，但是在文化战线上，斗争却是激烈的。郑振铎等人为保存民族的珍贵文献，大力地收购古书。与此同时，日本帝国主义分子们也在穷凶极恶地抢掠中国珍贵的古籍，有的汉奸、政客也在蓄意搜罗古籍。

最初，郑振铎为了抢救古籍，是从藏书家的手中收购，不敢走漏风声。在战火中，当时江南许多著名藏书家受到威胁，他们的生活也日益窘迫，不得不靠卖书度日。郑振铎就和几个人组织起来进行筹款，有系统地收购古籍文献。郑振铎有时也到各家旧书店去选择购买。

当时，日寇占领下的北方书商也到上海一带买书，他们弄去的书都卖给了外国人。郑振铎去书店时，遇到外地书商已经包好准备北运的一包包书，就特别留心，一定要追问里面是什么书，有时还让人打开包，看里面是不是有应该留下的珍贵图书。就这样，郑振铎拦下了不少就要运往日寇占领区的珍贵图书。

后来，郑振铎想到只是挡住书商们北运图书，做法很被动，并不是万全之策，而要争取主动，就必须设法把书商们吸引到自己这里来。

有一个时期，郑振铎把家里当成了“书行”，与书商们看书议价。在这段日子里，郑振铎除了去大学教课的时间外，每天从早到晚地忙着接待书商们，有时忙得连饭都顾不上吃。往往郑振铎早晨一起床，早点还没吃，就有书商来了，一个一个地接洽，忙不得闲。郑振铎认为，只有周到地接待他们，才有利于保护珍贵古籍。因此，他虽忙却不厌烦。书商们有的带着哪里有书要卖的消息来，有的拿着书的样本来，有的来算账，有的来借款。郑振铎为了求得好书，每天都是高高兴兴地接待书商们。这样一来，不光是上海的书商，就连外地的书商都被郑振铎的影响力吸引过来了。

郑振铎每次从书商手里买到一部好书或罕见的书时，他的心里就充满了兴奋、紧张、喜悦之情。这是一场无声的战斗，郑振铎认为：“我是得到并且保存一部好书了！更兴奋的是，我从敌人手里夺下了它！”

在这段日子里，郑振铎的家里堆满了收购来的书，就连楼梯旁也堆满了书。为了保住这些珍贵的书籍，郑振铎紧闭家门，不接待客人，就是对与保存图书文献无关系的熟人和朋友也一律不跟他们在家里见面。郑振铎的这一做法曾招致不少人的不满和非议，但郑振铎却并不在意。他把民族的利益视同生命，个人的得失又有什么呢！

几年间，郑振铎经手的古籍文献无法以数计，江南一带的重要古籍文献几乎都由郑振铎保存了下来。他说：“我们民族的宝贵文献决不能让日

寇和汉奸获得，我们要保存的，一样也不能落到他们的手里。”

有一回，一个日本特务通过一个汉奸给郑振铎送来一张支票，上面开着很大的数额，企图收买郑振铎，让他为日寇的文化侵略尽力。郑振铎被这种卑劣的行径激怒了，他当场就撕碎了这张支票，怒斥汉奸为虎作伥的卖国行径，郑振铎大声说道：“我是中国人，我爱的是中国!”郑振铎赶走了这个民族败类，日寇和汉奸的算计落空了。

为此，日本特务恼羞成怒，对郑振铎进行了跟踪。有一回，郑振铎去一家书店看书，日本特务也到这家书店来找他。日本特务问书店的人：“郑振铎来过这里没有？”郑振铎听见了，就暗示书店的人说没来过。书店的人就回答日本特务说：“他已好久没有来看书了。”因为日本特务并不认识郑振铎，又加上书店的人的掩护，郑振铎就在敌人的眼皮底下安然地走开了。这以后，郑振铎通知有关的书店，日本人来问他时，就回答很长时间没见着他了。

1941 年底，日寇军队开进了租界地区，整个上海都处在敌伪的统治之下，形势更加艰难，斗争更加复杂。日寇刚一进入租界时，为了不让敌人发现保存在家里的大量图书文献，郑振铎抓紧时间将这些图书文献转移。在日寇的眼皮底下搬运这么多的图书，真是既紧张又危险。大约用了一个星期的时间，郑振铎指挥着家属和书店的朋友，每天搬运着图书送往不为人所知的安全地点。书籍的数量太多，就是分几次也运不完，为了减少路上被注意的可能，郑振铎就叫大家分别把书裹成衣服包袱的样子，一趟一小批、一趟一小批地分散搬运。在这段日子里，每送出一批书，郑振铎就焦急地等着送书人安全返回，生怕在路上出什么意外，直到把他家中所存的这一大批图书全部运走，他才放下心来。

日寇占领整个上海以后，排出一份黑名单，郑振铎也列在其中。郑振铎把书藏好后，就放心地离开了家，开始了隐居生活。他化名陈思训，假冒一个文具店职员的身份，为保卫民族文献进行着隐蔽的斗争。有整整4年的时间，他一个人过着独居的生活，不能随便出去走动，更不能回家，因为随时都会有被日寇逮捕的可能。每到必须出去时，郑振铎总是格外小心，走在路上不能回头，坐车也不能直达，连衣服也得常常变换才行。

抗日战争的8年中，郑振铎一直坚持在上海进行民族文化的保卫战。他曾这样讲过："从'八一三'以后，足足的8年时间，我为什么老留居在上海，不走向自由区呢？时时刻刻都有危险，时时刻刻都在恐怖中，时时刻刻都在敌人魔掌的巨影里生活着，然而我不能走。"有人问他这是为什么呢？郑振铎回答说："我不能逃避我的责任!"

祖国的儿子啊，随时都在为着伟大母亲的利益而生存、斗争！

（选自《中国现代文化名人爱国故事》，作者英良）

郑振铎（1898年—1958年），现代作家、文学史家，福建长乐人。五四时期在北京参加学生运动，后主编《小说月报》，曾在上海、北平任大学教授。新中国成立后，任文化部副部长等职。1958年出国访问途中因飞机失事遇难。

难忘的最后一课

——文学家王统照的故事

读过法国著名小说家都德的名篇《最后一课》，有谁能不为洋溢在作品中的爱国热情所感动？当普鲁士侵略者散发着血腥味的皮靴蛮横地踏碎了法兰西的和平与宁静、小弗朗茨的学校里再也不许使用法语的时候，韩麦尔先生在他用法语教学的最后一课上，脸色惨白，用全身的力量在黑板上大书“法兰西万岁”的情景，永远留在读者的心中。

无独有偶，1941 年 12 月 8 日上午，当日本侵略军冲进了上海租界，用刺刀和炸弹宣布中国第一大城市完全沦陷的时候，王统照也在暨南大学上完了他的“最后一课”，而以中国的“韩麦尔先生”的形象，永远留存在暨大文学院学生们的心中。

暨南大学，初名暨南学堂，1906 年创办于南京，主要招收华侨子弟。在 1927 年改称国立暨南大学，设文、法、理、商 4 个学院，校址在上海真如。“八一三”事变后，日寇侵占上海，学校不得不迁到公租界。虽然是海内外知名的大学，校舍却只是一栋小洋房，因陋就简，偏安一隅，既无操场，也无宿舍。校舍虽然简陋，但前来就读的学生却很踊跃，因为执教的多是闻名遐迩的学者、教授、作家、诗人，不但学识渊博，而且严肃认真，称得上是循循善诱、诲人不倦的长者。文学院中，延请了文学研究会的创始人之一郑振铎做院长；王统照便是文学院中的“暨南四教授”之一(另外三位是郑振铎、王勤培、周予同)。

1936年夏，王统照就任了大型文学刊物《文学》月刊的主编，从青岛来到上海，把《文学》社当作了宿舍兼办公室，日夜沉埋在堆积如山的稿件中。这正值中华民族的多难之秋，继吞并东北、挟持溥仪登基建立伪“满洲国”之后，日本军队又突破长城要塞，向关内紧逼。接着，天津危急，华北危急。

1937冬天，王统照从华郫二号迁入吕班路二五六弄七号一所白俄公寓，化名王恂如，自称山东益都人，结束了他在上海的编辑生涯。从次年起，应聘担任暨南大学文学院的教授。

作为诗人、小说家、散文家和新文学运动热心参加者的王统照，在当时是颇为人知的，但他的教书生涯就很少有人了解了。其实，早在20世纪20年代中期，他就在北京的中国大学、平民大学执教，1927年后，则任教于青岛的铁路中学、市立中学等校，1931年春，还到四平的第一交通中学短期执教。算起来，他应该是有几十年教龄、有较丰富经验的教师，再加上对文艺的深湛理解和深厚素养，他的教学就更受学生欢迎。

当时听过他的课的学生还清楚地记得：那时的王统照，40出头，中等身材，略显清瘦，一副玳瑁边的眼镜，一件咖啡色的长衫，略秃的头顶，不苟言笑的神态，很难令人想象出他是个曾在英、法、德、瑞、荷等国考察过欧洲社会文化的专家，也不像曾在伦敦大学、万国笔会中研究学问的文学家，倒像是个土生土长的穷书生。

他是著名的作家，但从来不摆架子，每逢有课，总是提前一刻钟到达，回答学生们的质疑问难，并且亲切地谈起自己读小说和写小说的经过。他从自己的切身经历出发，告诫这些好学上进的青年学生说：“青年人不但要花时间多读书，还要不断学习写文章。最好能每天写日记，这等于是逼迫自己每天交出一篇文章来。写日记既可以记事，又能抒情，还可以发议论。这无异于为自己写散文和论文打下基础，也为写小说做好准备。”

他是教书的先生，也是青年们的人生导师。同学生交谈时，不断勉励他们奋发向上，以图为国效力；批改作文时，更要求他们端正文风，删刈虚文浮辞。当时，由于时代险恶、社会黑暗，一些青年学生的心里笼罩着一层阴影，生活上失去了方向和动力，王统照曾写下《你的灵魂鸟》一诗亲切地发出召唤，热情地给予扶持和鼓励，一时在青年中广为传诵，影响很大。

1941 年底，太平洋战争爆发了。12 月 8 日上午，日本军队凶神恶煞般地冲进租界。9 点钟，暨大文学院二楼教室里正在上国文课，王统照严肃冷峻地站在黑板前。窗外，日本宪兵的卡车在路上横冲直撞，喇叭声撕裂着中国人的心灵。王统照依然如往常一样，坚持着讲完最后一课。唯一破例的是，他提前一刻钟结束了上课，说了一段似乎是“课外”的话：

同学们，刚才教务处通知：学校今天起停办了！我们学校不能继续上课，更不能让敌人来接收，今天这一节是最后的一课，我们现在要解散了！

他的态度是那样严峻，神情是那样沉痛，这是几年间朝夕聆听教诲的学生从来没有见过的。接着，他又说道：

同学们，你们都很年轻，都 20 岁不到吧？我们的日子正长，青年人要有志气，要有冲破黑暗的精神，学校可能内迁，你们跟不跟学校到内地去，这要看每个人的家庭环境来决定，学校不勉强。因为留不留在沦陷后的上海，这不是决定性的问题。问题在于我们走什么道路，在精神上和行动上，是坚持抗战，还是向敌人投降？这要有个准备！

一席话，结束了他的“最后一课”，给徘徊彷徨中的青年们点燃了人生的一盏明灯，给他们战胜逆风恶浪奋力向胜利的彼岸前进提供了精神上的舟楫。这时，他的《你的灵魂鸟》又回荡在青年们的心中，深沉而有力，亲切而热情，令人久久难忘：

不要让黑暗阻碍了你，
有多少烛光在半天辉耀。
不要惊惶群狼狗的嗥叫，
阴影中当心毒蛇的围绕。
更不必害怕这空前风暴，
在你顶上，有你的“灵魂鸟”！

（选自《中国现代文化名人爱国故事》，作者刘增人）

王统照（1897年—1957年），著名小说家、诗人，山东诸城人。1921年与茅盾等发起组织文学研究会，1935年参加上海文化界救国会。新中国成立后，任山东省文联主席、文化局局长等职。著有诗文集《童心》等。

宁为玉碎　不为瓦全

——革命烈士陈觉的故事

“谁无父母，谁无儿女……我们正是为了救助全中国人民的父母和妻儿，所以牺牲了自己的一切。我们虽然是死了，但我们的遗志自有未死的同志来完成。大丈夫不成功便成仁，死又何憾!”

这充满正气、掷地有声的豪言壮语，是烈士陈觉给妻子赵云霄的遗书中的话。

在青春和生命即将被反动派的枪口吞噬的时候，他怀着为救助全中国人民的父母和妻儿而宁死不屈的情感，走上了刑场。

1925 年，陈觉和赵云霄在莫斯科东方大学学习时相识相爱了，后来结了婚。1927 年，他俩一同回国，先后在东北、湖南工作。1928 年 9 月，湖南省委机关遭破坏，赵云霄被捕。不久，因叛徒告密，陈觉也于湖南常德被捕，与赵云霄一同关押在长沙陆军监狱署。

刑期临近了，陈觉给即将分娩的妻子留下了这封最后的信：

云霄我的爱妻：

这是我给你的最后的信了，我即日便要处死了，你已有身孕，不可因我死而过于悲伤。他日无论生男或生女，我的父母会抚养他的。我的作品及我的衣物，你可选择一些给他留作纪念。

你也迟早不免于死，我已请求父亲把我俩合葬。以前我们都不相信有鬼。现在则唯愿有鬼。在天愿为比翼鸟，在地愿为并蒂莲，夫妻恩爱永，世世缔良缘……

前日父亲来看我们时还在设法营救我们，其诚是可感的，但我们宁愿玉碎而不愿瓦全……

25 岁的陈觉，就这样慷慨激昂地走上了刑场。

赵云霄同志在狱中分娩了。刚刚出世的女儿还未看清楚她的脸，赵云霄就要赴刑场了。

在阴冷的牢房里，戴着镣铐的赵云霄给刚刚满月的女儿写下了这封遗书：

启明我的小宝贝：

启明是我们在牢中生了你的时候为你起的名字，这个名字是很有意义的。因为有 (怀) 了你四个月的时候，你的母亲便被湖南清乡督办署捕于 (到) 陆军监狱署了……小宝宝，你是民国十八年正月初二生的，但你的母亲在你才有一月又十几天的时候，便与你永别了……

小宝宝我不能抚育你长大，希望你长大时好好的读书，且要知道你的父母是怎样死的。我的启明，我的宝宝，当我死的时候你还在牢中。你是不幸者，你是个世界上的不幸 (者)，更是父母的可怜者！小明明，你父亲在牢中给我的信及作品，你要好好的保存！小宝宝，你的母亲不能多说了。血泪而成。你的外祖母家在北方，河北省阜平县。你的母亲姓赵。你可记着，你的母亲是 23 岁死的。小宝宝，望你好好长大成人，且好好读书，才不 (辜) 负你父母的期望。可怜的小宝贝，我的小宝宝！

你的母亲于长沙陆军监狱署泪涕

一九二九年三月二十四日

赵云霄在即将被绑赴刑场时，给孩子喂了最后一次奶。

孩子还不懂得母亲的痛苦，把母亲的泪水当作乳汁来吮吸，她哪里知道，母亲就要和她永别了！

给她以生命的母亲，在她还没有记忆的时候，就为了人民的解放事业而牺牲了。

孩子长大成人之后，会明了和记住这一切的！祖国千千万万的后来者会明了和记住这一切的！

（选自《名人道德情操的故事》，刘润生编）

陈觉（1903年—1928年），革命烈士。原名陈柄祥，湖南醴陵人。1925年加入中国共产党，后被派往莫斯科学习。与妻子赵云霄一起回国后，从事党的秘密工作。后因叛徒告密被捕入狱，于1928年10月14日在长沙就义。

和平，奋斗，救中国

——革命家孙中山的故事

孙中山是中国伟大的民主革命先行者。他致力于革命40年，为拯救中国、振兴中华耗尽了毕生的精力。他在生命的最后岁月，仍矢志不渝地为祖国、为民族利益奔走操劳，给人们留下了许多感人肺腑的故事。

毅然北上

1924年10月23日，冯玉祥发动了“北京政变”。

当时，冯玉祥是曹锟、吴佩孚手下的将领。9月18日，曹锟下令讨伐张作霖，吴佩孚自任讨逆军总司令，并任命冯玉祥为第三军总司令。曹、吴把部队都开往前线去了，后方空虚，兵力不足。冯玉祥看准了这个时机，在10月22日夜里，秘密地把部队从前线撤回，与孙岳的守兵配合，不发一枪，把曹锟幽禁了。吴佩孚腹背受敌，仓皇逃窜武汉。这就是震惊南北的“北京政变”。

曹锟、吴佩孚树倒猢狲散。张作霖乘虚入关，段祺瑞也“破门而出”。冯玉祥同奉、皖两个派系协商，拥立段祺瑞为临时总执政。

要解决中国的统一问题，是不能没有孙中山参与的。冯玉祥考虑再三，热情地给孙中山发电报，邀请他北上共商国是。狡猾的段祺瑞也明白，如果与孙中山正面对抗，不会有什么好结果。于是，他便故作姿态，同张作霖联名通电，邀请孙中山北上。

一个尖锐的问题摆到了孙中山面前：是去，还是不去？经过反复思考，孙中山认为，去是上策。因为这是一个公开宣传和平统一的机会。即使谈不成，还可以宣传革命主张，为人民伸张正义，揭开段祺瑞的假面具。孙中山主意已定，便在10月27日给冯玉祥回电，向他祝贺夺取政权成功，并表示"建国大计，即欲决定，拟即日北上，与诸兄晤商"。他对于个人安危并不介意，说："这次往北方去，所主张的办法，一定是和他们的利益相冲突，大家可以料得我有危险。"为了救国救民，求得和平统一，召开国民会议，孙中山决定去冒一下险，毅然挺身而出，北上与那些大武人、小武人、政客们再作一搏。

正气凛然

孙中山在广州时，就觉得肝部隐隐作痛，但他没有声张，与宋庆龄乘上轮船，绕道日本，北上京津。

12月4日，"春阳"号轮船从日本抵达天津大沽口。那天，朔风呼啸，气候转冷，天色阴沉。孙中山站在船头上向簇拥在那里的欢迎群众挥手致意，尽管他身上穿的衣服较厚，但还是受了风寒，病痛来势很猛，体温一下子升到40℃以上，肝部也疼痛不已。

第二天，张作霖来到孙中山的寓所。孙中山正在静卧养病，需要休息，谢绝会客。张作霖却冒然而入，一边走一边说："我今天来向孙先生说话，孙先生可以睡在床上，不必开口回答。"接着，张作霖便大发议论，劝孙中山不要反对帝国主义，说外国人都是不好惹的，各国公使对"联俄联共"政策是如何反感，并表示他自己愿意代孙中山疏通和外国列强的关系。孙中山听了张作霖的狂言，觉得又气又好笑，当然置之不理。

过了几天，段祺瑞也装模作样地派人来探病，劝孙中山说话要缓和一些，不要过于激烈，免得导致列强干涉。孙中山听了非常气愤，怒不可遏地斥责说：“我在想办法要废除那些不平等条约，你们却偏偏要尊重那些不平等条约，这是什么道理呢？你们要升官发财，怕那些外国人，要尊重他们，为什么还来欢迎我呢？我明天就到北京，在那里反对段某，看他能把我怎么样。”

坚持正义

1924 年 12 月 31 日，孙中山抱病入京。在北京车站，市民们闻讯赶来欢迎。共产党人李大钊亲自前往车站迎接。

孙中山下榻在北京饭店，经过医生们的会诊，确诊患了严重的肝病。各种治疗肝病的药物都用上了，他的病情仍不见起色。随行人员都暗暗流泪，他们祈望孙先生的身体赶快康复，还有多少大事，有待他去做啊!

可是，那些祸国殃民之辈并不放过孙中山。他们巴不得孙中山一病不起。段祺瑞针对孙中山提出召开国民会议的主张，又要了一个花招：召开善后会议来解决时局纠纷，坚持声称不该反对帝国主义。

孙中山看穿了段祺瑞的阴谋，他完全赞同共产党人的意见，决定国民党不参加善后会议。这时的孙中山已经不能下床了，肝部的剧烈疼痛使他移动一下身子都极为困难。但是念及国家的前途，孙中山在床上翻来覆去，不能入睡。他硬支病体，斜卧在病榻上，亲自一字一句拟定致段祺瑞的电报，指出他包办善后会议的错误，要他改弦更张，不要冠履倒置。同时，孙中山坚持主张召开以人民为主体的国民会议，这是孙中山在去世前作出的最后一个重要决策。历史证明，这一决策是完全顺应时代发展的潮流的。

1925 年 1 月 25 日，孙中山的面色由黑转黄，已经不能进食。医生们建议立即进行手术治疗。26日下午3时，孙中山被送入协和医院动手术。傍晚6时，腹腔打开了，病情比预料的还要严重，呈现在医生们眼前的肝脏已经坚硬如木。医护人员含着眼泪从肝脏上取下一点组织用来化验，又难过地把腹腔缝合起来。化验证实：孙中山患的是肝癌，而且已经是晚期了。

金石之声

孙中山是学医的，知道自己的病情严重，便同意立下遗嘱。遗嘱共有三个。第一个《遗嘱》由孙中山口授，汪精卫笔记。遗嘱写道：

余致力国民革命，凡四十年，其目的在求中国之自由平等。积四十年之经验，深知欲达到此目的，必须唤起民众及联合世界上以平等待我之民族，共同奋斗。

现在革命尚未成功，凡我同志，务须依照余所著《建国方略》《建国大纲》《三民主义》及《第一次全国代表大会宣言》，继续努力，以求贯彻。最近主张开国民会议及废除不平等条约，尤须于最短期间，促其实现。是所至嘱！

第二个《家事遗嘱》是给宋庆龄的：

余因尽瘁国事，不治家产，其所遗之书籍、衣物、住宅等，一切均付吾妻宋庆龄，以为纪念。余之儿女已长成，能自立，望各自爱，以继吾志。

此嘱！

孙中山投身革命40年，做过大总统、大元帅，经手了难以计数的钱财，可是自己却没有什么私产。唯一的遗产便是一批书籍和上海香山路的一所住宅——中山故居。

第三个遗嘱是《致苏联遗书》，孙中山用英文口授，由鲍罗廷等人笔记。

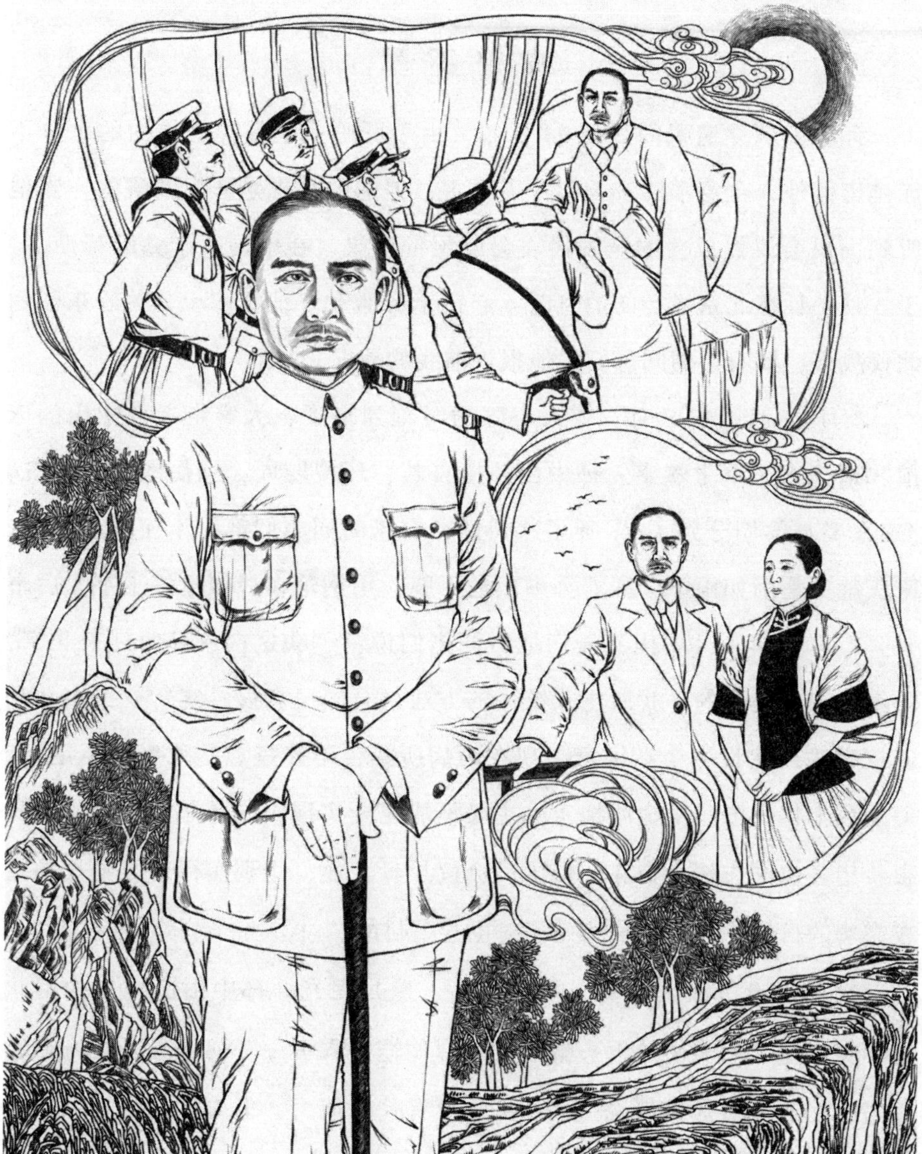

当晚，孙中山思前瞻后，放心不下这个多灾多难的中国，也放心不下与他几十年来生死与共的同志们，又是一宵未睡，病情更为严重。

精神不死

孙中山从立遗嘱的2月24日起，由于肝脏完全坏掉，体内的水分不能排出体外，全身水肿一天比一天厉害，但他的神志是非常清醒的。当他听到国民会议促成会的全国代表会议预备会议，在中国共产党的帮助下，于3月1日在北京举行的消息时，心情十分激动。他依旧十分关心东江的北伐战事，要身边的同志们向他报告前线的战况。

3月11日上午8时，令人心碎的时刻到来了，大家走近孙中山的床前，请他在遗嘱上签字。孙中山神情自若，环视四周，感伤地对大家说："现在要与你们分别了。"听了这句话，在场的同志们都忍不住失声恸哭。宋庆龄更是泪如雨下，托着孙中山的手腕，用钢笔在遗嘱上签了字。后事一一嘱咐完毕，孙中山又痛切地对同志们说："我这次放弃两广来北京，是谋求和平统一的。我所主张统一的方法是开国民会议，实行三民主义和五权宪法，建设一个新国家。现在为病所累，不能痊愈。死生并不足惜，但是数十年为国民革命所抱定的主义不能完全实现，这是非常遗憾的。我很希望各位同志努力奋斗，使国民会议早日开成，达到实行三民主义和五权宪法的目的。那么我虽然死了，也会瞑目的。"

这天夜晚，浓云如墨，风声如搗，星月无光。孙中山已处于弥留状态，突然他又用僵硬的舌头喊道："廖仲恺夫人……"何香凝赶紧掩泪走过去，伤心地对孙先生说："我虽然没有什么能力，但先生改组国民党的苦心，我是知道的。此后，我必拥护孙先生改组国民党的精神。孙先生的一切主张我也誓必遵守。至于孙夫人，我也当然尽我的力量来爱护。"孙中山听了这番话，轻轻地说道："廖仲恺夫人，我感谢你。"然后紧握她的手达10分钟之久。

夜黑如漆，远远传来几下凄凉的更锣声。孙中山用断断续续的声音反复呼喊着："和平……奋斗……救中国……"3月12日凌晨3时，他又醒了一次，但已不能言语。9时30分，孙中山先生溘然长逝，一颗巨星陨落了，终年59岁。

孙中山先生为中国反帝反封建的革命事业奋斗不息的革命精神，永远是我们中华民族的宝贵财富，激励着千千万万后继者为拯救中国、振兴中华而奋斗。

（选自《中国现代爱国者的故事》，作者邵传烈）

孙中山（1866年—1925年），我国伟大的革命先行者，广东香山（今中山）人。1905年，成立中国同盟会；1911年，被推举为中华民国临时大总统，后任国民党理事长；1917年，在广州组织护法军政府，当选为大元帅；1924年实行第一次国共合作，提出新三民主义。著有《孙中山选集》等。

高举共和国的旗帜

——中华人民共和国名誉主席宋庆龄的故事

上海万国公墓庄严肃穆，龙柏、冬青掩映着一块墓地。墓地东侧，在兰花、杜鹃花等的簇拥下，素净的墓碑上镌刻着：

“一八九三—— 一九八一年

中华人民共和国名誉主席宋庆龄同志之墓

一九八一年六月四日立”

墓地西侧，安息着一位与中华人民共和国名誉主席同生死共患难的普通的劳动妇女——李燕娥。

墓地的安排，完全按照这位被国际上公认为“20世纪最伟大的女性”生前的遗愿。她，不愿享受中国革命先行者孙中山的夫人和新中国缔造者之一的殊荣，而宁愿永远把自己置身于人民之中。

宋庆龄，一个闪耀着革命光辉的名字，她为国家和人民所建树的丰功伟绩将永载史册。

炮火的洗礼

1922年6月16日凌晨，广州观音山粤秀楼响起了急促的电话铃声。孙中山被告知：陈炯明即将叛乱，总统府已被包围，情势非常危急。孙中山叫醒熟睡的夫人宋庆龄，催她撤离险境，去永丰舰避难。

这时，这位自1915年10月25日起同孙中山患难与共的夫人，端庄的脸上露出刚毅、坚定的神色，说："我和你一起走，目标太大，反而不安全，你赶快先去永丰舰部署战斗吧!"孙中山哪能撇下怀孕的夫人，他坚持要留在总统府，与叛军决一死战! 宋庆龄斩钉截铁地说："中国可以没有我，但不可以没有你! 四万万人民需要你，你不安全撤离之前，我是坚决不会离开这里的!"多年的共同生活，孙中山清楚地了解这位非凡的女性，在柔弱的外表下却有着不让须眉、一往无前的性格。

辛亥革命爆发时，她正在美国威斯里安女子大学读书，她的父亲给她寄来象征民族联合的五色旗，她兴奋地把清朝的龙旗从宿舍的墙上撕下来，欢呼"高举共和国的旗帜"! 从此，共和国第一个总统孙中山的名字、形象牢牢地印在她的心头。1913年春，她大学毕业，不久后就当了孙中山的秘书。她不顾父母与亲友的反对，毅然同孙中山结婚，把自己的命运同这位被袁世凯悬赏50万大洋的流亡中的革命家的命运连在一起。

孙中山送给她的结婚礼物是一支簇新发亮的手枪，他说："这支枪，配了20颗子弹，19颗给敌人准备，最后一颗是危急时留给自己的。"她庄严地接过这个礼物，她早就立下了献身革命的决心。多年来，她作为夫人与秘书，陪同孙中山经历了一系列重大的事件：讨伐袁世凯复辟，声援五四运动，创立广州国民政府与北洋军阀政府对峙，组织北伐……历史的进程加快了步伐，她也迅速成熟了。她一旦做决定，就不会轻易更改，会义无反顾地做下去。

可是孙中山这时最担心的是她的安全与未出世的孩子——他们为他取名为"北伐"……然而，时间不允许他再犹豫了，他遵照宋庆龄的意愿，硬着心肠，装扮成医生，从被包围中的总统府撤离了。

孙中山走了半个小时后，枪声响了，叛军占据山顶，居高临下，向半山腰的总统府一顿扫射，妄图置孙中山与宋庆龄于死地。拂晓，叛军用炮火轰击总统府，孙中山留下的卫队卫兵大部分壮烈牺牲。宋庆龄估计孙中山已脱离险境，这才同两个卫兵和孙中山的外国随员撤出已成为断墙残垣的总统府。子弹在她耳边呼啸而过，她刚离开房间，仅几分钟，这个房间就被炮火击中成为一堆废墟。宋庆龄忍着阵阵腹痛，从上午 8 点到下午 4 点，在枪林弹雨中迂回，最后在一间民房前晕倒了。她被一阵枪声震醒，一个卫兵中弹牺牲了。另一个卫兵帮助她装扮成一个农妇，护送她到一个朋友的家中。她这时已忘记了自己的伤痛，只惦念着孙中山的安全，直到她听到永丰舰回击的炮声，这才宽慰地舒了一口气。可是他们爱情的结晶——“北伐”，却在炮火中流产夭折了。

宋庆龄终于在永丰舰的甲板上与孙中山会合，然后他们分道来到上海。陈炯明叛变是孙中山一生中遭受的最惨重的失败。绝望中的孙中山在上海的寓所与宋庆龄一起反省国民革命的道路。他们研读刚开始在中国传播的马克思、列宁的著作，关注着“十月革命”后新生苏维埃的斗争与成就，反复考虑列宁的使者马林提出的关于中国革命的建议。这年 8 月，李大钊专程来上海会见孙中山，两人相见恨晚，废寝忘食地畅谈。宋庆龄的眼界拓宽了，她看到了力量的源泉、希望的曙光。她积极协助孙中山，在苏联顾问与共产党的帮助下，改组国民党，制定“联俄、联共、扶助农工”的崭新的革命方针。

中断的北伐重新开始了，形势出现了重大的转机。1924 年 10 月，冯玉祥发动“北京政变”，囚禁军阀总统，邀请孙中山北上共商国是。孙中山在宋庆龄的陪同下，欣然应邀。北京十万市民闻讯，顶着寒风，欢迎孙中山与宋庆龄。可是孙中山心力交瘁，病情恶化，竟卧床不起。在病房里，宋庆龄一面细心护理孙中山，一面帮助他进行筹备以人民为主体的国民会议、挫败段祺瑞代表军阀利益的善后会议的斗争。终于，诀别的时刻来临了。孙中山留下了三个遗嘱，宋庆龄忍着悲恸的泪水，托着孙中山的手用钢笔在遗嘱上签了字，孙中山在《家事遗嘱》里交代道："余因尽瘁国事，不治家产，其所遗之书籍、衣物、住宅等，一切均付吾妻宋庆龄，以为纪念……"

孙中山留给宋庆龄与全国人民的，是他为振兴中华而不息奋斗的革命精神。在为孙中山送葬的行列中，宋庆龄穿着黑色的衣裳，面罩黑纱。她没有哭泣，没有流泪，而是更加坚强。32 岁的宋庆龄经历着巨大悲痛的考验，准备继承孙中山的革命遗志，实现新三民主义的方针，她要进行更为复杂、艰巨的斗争。

虎穴的战斗

1937 年 7 月，烈日炎炎。江苏高等法院却阴森得恐怖。全国各界救国联合会 (简称救国会) 一行十余人，冒着酷暑，来到如临大敌、戒备森严的法院门口，领头的正是孙中山的夫人宋庆龄。这使法院的大小官员们慌作一团。宋庆龄此行，是为营救关押在这里的抗日爱国人士沈钧儒、章乃器、邹韬奋、李公朴、沙千里、王造时、史良 (史称"七君子")。

宋庆龄要求见法院院长，院长哪敢见面，派一庭长接待。在宋庆龄等人的强烈抗议下，法院院长才硬着头皮出现。宋庆龄义正词严地质问他："如果他们七位因主张抗日救国有罪入狱，则我们十余人亦共同负责，一同坐牢；如爱国无罪，则应同享自由，立即释放他们七位。"法院院长理穷词屈，结结巴巴地说："苏州天气太热，还是请你们早点儿回上海休息吧!”宋庆龄大义凛然地说：“我们不是来苏州乘凉的，而是来自请入狱的。”法院院长无可奈何，只好承认“救国会本身是无罪的”。

宋庆龄领导的“救国入狱运动”，无异于在蒋介石的虎口上拔牙。在全国人民的压力下，蒋介石不得不下令释放“七君子”。“救国入狱运动”只是宋庆龄同叛变孙中山革命事业的蒋介石一伙进行大智大勇斗争的一个片断。

在1926年召开的中国国民党第二次全国代表大会上，宋庆龄当选为国民党中央执行委员会委员，她为这年进行的北伐做了大量准备工作，发挥了特殊的作用。正如当时美国记者安娜·路易斯·斯特朗所描写的，“她温文尔雅，但性格坚强。她对孙中山的革命信念忠诚不移，坚持孙中山关于联共、组织工农的遗愿。她深深了解各种社会摩擦，尽量把一切可能团结的因素团结在一起。由于她品格上的魅力，她甚至于从对手那里争得了协助，推迟了不可避免的冲突，从而为革命军北伐赢得了喘息的时机。她对北伐胜利的独特的巨大贡献，赢得了全国各党派与人民的广泛尊敬”。

1927年4月12日，蒋介石在南京发动“反革命政变”，接着汪精卫在武汉也发动了叛变。宋庆龄的姐姐宋霭龄、姐夫孔祥熙弟弟宋子文，以及刚同蒋介石结为夫妇的妹妹宋美龄，已正式同蒋介石合作，他们劝宋庆龄“回到她所属于的家庭，否则只好孤身一人”。在这痛苦的抉择面前，宋庆龄选择了人民。她庄严地发表了《为抗议违反孙中山的革命原则和政策的声明》，怒斥葬送轰轰烈烈的大革命的蒋介石、汪精卫之流，“背弃了孙中山领导群众和加强群众政策”。她支持中国共产党领导的南昌起义，用武装的革命反对武装的反革命。她被选为革命委员会七人主席团成员之一。为了寻求中国革命的道路，宋庆龄不顾路途危险、遥远，毅然赴苏。

临行时，她又一次发表声明，斥责蒋介石这些“国民党冒牌领袖们所领导的反动势力危害了三大政策，他们必然失败”，她要向无私援助过中国革命的苏联共产党说明这一点。在藏一根红布条都要杀头的白色恐怖中，这无疑是给蒋介石“斩尽杀绝共产党”这一倒行逆施的反革命行径当头一棒。

宋庆龄在旅居苏联与欧洲期间，积极参加国际上反帝国主义和保卫和平的运动，成为世界反法西斯运动的著名领袖。

1931年，宋庆龄回国，参加孙中山灵柩安放中山陵典礼。本来蒋介石想借这次典礼掩饰背叛孙中山革命事业的真面目，但是宋庆龄粉碎了蒋介石的如意算盘，公开指责“反革命的国民党领导人背信弃义的本质，从来没有像今天这样无耻地暴露于世人面前”，国民党是屠杀人民、投降帝国主义的一个工具。宋庆龄不但在舆论上谴责蒋介石反共、反人民的政策，而且同蒋介石在民族危亡之际进行的反革命暴行做了针锋相对、机智勇敢的斗争。

工农红军的著名将领陈赓不幸被捕，生命危在旦夕。宋庆龄以凛然正气直闯南京总统府，当着蒋介石的面骂道：“陈赓是黄埔军校的学生，东江之役一直跟你打仗，你打了败仗还是陈赓救了你的命，不然你也活不到今天。现在你要杀他，简直是忘恩负义。你天天说的礼义廉耻哪里去了？”蒋介石被她骂得俯首无言，只得让她把陈赓带走。宋庆龄等领导了中国民权保障同盟，保护和营救了大批中共党员与爱国志士，为革命做出了特殊的贡献，只是由于她在国内外的威望实在太高，蒋介石才不敢对她举起屠刀。

正如著名作家罗曼·罗兰描述的：“你们以为宋庆龄仅仅是一朵香满

全球的鲜艳花朵吗？不！不！她是一头名副其实的、力图冲破一切罗网的雄狮。”她确实是代表中华民族精神的雄狮，任何反动势力都会被她的怒吼所慑服。

(选自《女名人的故事》，王国荣等编著)

宋庆龄 (1893 年—1981 年)，伟大的爱国主义、民主主义、国际主义、共产主义战士。1915 年与孙中山结婚，孙中山逝世后，奋力从事救国斗争。新中国成立后，任中华人民共和国副主席、全国人大常委会副委员长。逝世前加入中国共产党，并被授予中华人民共和国名誉主席荣誉称号。

为四万万同胞争人格

——军事家蔡锷的故事

1911年10月底，云南昆明讲武堂（军官学校）里一位青年军官正聚精会神地查阅大摞的文件和书报，并不时站起身来观察墙上的地图。这位青年军官就是云南新军第十九镇三十七协的协统（旅长）蔡锷。武昌起义爆发后，云南同盟会会员朱德（当时任新军连长）等人积极活动，准备响应武昌起义，在云南发动起义。革命党人一致推举具有强烈爱国之心，并多次参加革命活动的蔡锷担任起义临时总指挥。

10月30日晚，清朝的云贵总督李经羲突然接到一件密报：革命党人即将在云南发动武装起义。李经羲一听，吓得面如土色，马上给他的“心腹干将”蔡锷打电话询问情况。蔡锷镇静地回答：“保证一点儿事也没有，军官们正在聚餐，您放心睡觉吧!”李经羲还不放心，对蔡锷说：“你立即把新军中所有的革命党人和有嫌疑的一网打尽，然后押送到我这儿来。”蔡锷笑着说：“1小时后，一定上您那里报告喜讯。”放下电话，蔡锷立即下令拘禁新军中顽固的指挥官和参谋长，命令全体起义官兵高举红旗，推翻清朝在云南的反动统治，消灭一切抗拒共和的力量。战士们高呼革命口号，奋勇进攻敌人盘踞的据点。朱德带领两队士兵，在炮火的掩护下，很快攻下了总督衙门，从床底下揪出了总督大人，一刀把他的小辫子割了下来，并把他押解到蔡锷的指挥部。总督大人看到起义军的总指挥正是他的“心腹”蔡锷，一下子吓得昏死过去。

云南起义成功后，朱德曾写诗赞颂这次起义：“云南起义是重阳，下定决心援武昌；经过多时诸运动，功成一夕庆开场。”这样，蔡锷的大名传遍了全国。1913 年 7 月，孙中山发动了“二次革命”，讨伐窃国大盗袁世凯。这次革命失败后，大批革命志士来到云南，蔡锷都热情接待，加以重用。袁世凯得知这个消息后，担心蔡锷的力量过分强大，便写信给蔡锷，让他到北京当大官。蔡锷考虑到如果不离开云南，袁世凯一定会暗算自己，为了保存云南的革命武装，只好来到北京。袁世凯假装重用蔡锷，让他当了昭远将军，可暗地里却派人严密监视他。蔡锷对于袁世凯的阴谋手段早就有所察觉，便暗地里想方设法寻找脱身之计。

1914 年 7 月，第一次世界大战爆发，西方列强之间杀得你死我活，放松了对中国的侵略。日本帝国主义便张开大口，妄图独自吞掉中国。1915 年初，日本人把灭亡中国的“二十一条”当面交给袁世凯，并说：“这可是你向日本表示亲善的最好时机，做皇帝多好哇，日本就有天皇嘛！日本政府祝大总统高升一步。”袁世凯明白，只要他承认了“二十一条”，日本人就会支持他当皇帝。于是，野心勃勃的袁世凯不顾全国人民的激烈反对，接受了这个变中国为日本殖民地的卖国条约。热爱祖国的蔡锷深感国难当头，心情万分沉痛，决心马上返回云南，“护国讨袁”。袁世凯知道蔡锷是他复辟帝制的一个大障碍，便把他软禁起来，并让密探严密监视蔡锷的一举一动。不几天，密探来报告，蔡锷在家里和一些南方来的陌生人往来，袁世凯就派人带领一批军警搜查了蔡锷的住宅。

蔡锷的住宅被搜查以后，便设计麻痹袁世凯，他装作生活放荡，整天吃喝玩乐，看戏观花，好像不问政治了。不久，袁世凯对他的监视渐渐放松了。蔡锷眼看脱身的时机到了，便在有胆有识的小凤仙的帮助下，乘车到了天津，然后绕道日本、越南，于 1915 年底到达昆明。这个消息传到北京后，袁世凯气得又跺脚又捶胸地说：“我一生骗人，没想到今天竟然被蔡锷给骗了。”

到了昆明后的蔡锷将军，由于咽喉结核的折磨，身体极其瘦弱，但他的两眼却闪烁着锐利的光芒，意志更加坚定。这时，袁世凯已经悍然宣布接受帝制，蔡锷决定立刻举行反袁武装起义，在宣布云南独立的同时，建立反对复辟帝制的护国军，向全国各省通电反袁。蔡锷亲任护国军第一军总司令，出兵四川。接着，蔡锷发布了历数袁世凯十大罪状的讨袁檄文。

蔡锷率领护国军战士高举战旗杀奔四川。袁世凯派出十几万大军在四川围剿堵截。面对强大而凶残的敌人，蔡锷坚定地宣誓：“为了四万万同胞争人格，我蔡锷非拼命奋战不可！”他全面估计了敌我双方的势态，主动出击，并在叙永、泸州一带与敌人的主力决战。这次大战是中国自近代用枪炮作战以来空前激烈的一次战役。总司令蔡锷不顾日益加重的病情，身先士卒，每天只睡不到 3 个小时的觉。战士们在他爱国精神的鼓舞下，不怕饥寒交迫，勇敢地坚持战斗，与敌人浴血拼杀。

袁世凯复辟帝制的倒行逆施尽失人心，全国很多省份纷纷响应护国军，宣布反袁独立。这一来，在四川的袁军惊慌失措，乱了阵脚。乘这个机会，蔡锷当机立断，率领护国军全面进攻敌人，朱德率军打退了敌人，包围了泸州。在护国军节节胜利的打击下，在全国人民反对帝制的怒潮中，袁世凯惶惶不可终日，于1916 年 3 月 22 日被迫宣布取消帝制，并派人跟护国军谈判，企图继续赖在总统宝座上不走。蔡锷对袁世凯的使者严正声明，如果袁世凯拒不下台，那么他一定率领护国军继续战斗。袁世凯又气又急，1916 年 6 月 6 日，终于在人民的唾骂声中绝望地死去。

这时，蔡锷的病情加剧了，来会诊的医生让他暂时不要惦记国事，卧床静养一段时期。但蔡锷哪里静得下来，他把参谋长和秘书叫到床旁，与他们共商重建四川的计划，研究老百姓和战士们的生活问题。他激动地对部下将士们说："我的病情恶化，剩下的日子恐怕不多了，我要把全部生命毫无保留地奉献给祖国。"不久，他的咽喉更加肿痛，吃不下饭，喝不下水，日夜高烧不退。医生急忙赶来诊断，他的咽喉结核已到了晚期。1916年11月8日，蔡锷将军不幸与世长辞，年仅34岁。

蔡锷将军忠于祖国，"为四万万同胞争人格"的崇高品质和"挥刀杀贼男儿事"的奋斗精神，永远为中国人民所景仰。

（选自《中国近代爱国故事》，樊竟编著）

蔡锷（1882年—1916年），近代军事家，湖南邵阳人。1900年参加自立军起义，失败后留学日本。1904年归国后在云南等地训练新军。武昌起义后任云南军政府都督，1915年与梁启超策划反袁，在云南组织护国军，后任四川督军兼省长。其遗嘱被编为《蔡松坡集》。

激扬文字　笔抵万军

——著名记者邵飘萍的故事

1926年“三一八”惨案发生后，3月23日北京各界举行追悼死难烈士大会。慑于段祺瑞政府的白色恐怖，当时没人敢做大会主席，中法大学的学生陈毅这时挺身而出。追悼会上，陈毅慷慨演讲，痛陈军阀祸国殃民的虐政，声震全场。但他讲完之后，等了许久，也不见有人继续登台。在令人窒息的沉默气氛中，只见一人昂首向前，登台痛斥段祺瑞政府的血腥暴行。这位有胆有识之士，就是《京报》社长兼总编辑邵飘萍。

1911年，邵飘萍来到杭州，与杭辛斋合作办起《汉民日报》，从此开始了新闻记者生涯。

辛亥革命的成果被袁世凯篡夺后，袁世凯对内大肆践踏民主，对外搞大拍卖、大借款，丧权辱国丑行迭现不鲜。对于袁世凯的欺世盗名，全国进步舆论群起而攻之，邵飘萍的言论尤为激烈。与此同时，《汉民日报》对横行乡里的地方豪绅、贪官污吏也进行了无情地鞭挞。因此邵飘萍办报不到3年，竟遭3次被捕，共下狱9个月。最后《汉民日报》被袁世凯电令关闭，邵飘萍被迫避走日本。

到日本后，邵飘萍仍然十分关心国家大事。他白手起家，组织了东京新闻社，不畏艰难，向国内发回了许多令人震惊的“军情”。

1915年初，丧权辱国的“二十一条”在国外泄露，邵飘萍立即驰报国内，全国舆论大哗，讨袁声此起彼伏，抵制日货的爱国运动蓬勃兴起。这时，邵飘萍又将东京爱国华侨和留日学生讨袁的情况及时向国内报道。一篇篇消息犹如一桶桶火上热油，使国内反袁运动进一步达到沸点。

就在袁世凯宣布黄袍加身、共和危在旦夕之际，1916年春，邵飘萍应上海新闻界电邀回国，随即任上海《时报》《时事新报》及《申报》主笔。

1916年6月6日，袁世凯在全国人民的讨伐声中可耻地死去了。北洋军阀新首领段祺瑞又出现在了北京的政治舞台上。邵飘萍这时仍以其不屈不挠的斗志，同段祺瑞政府开始了新的斗争。

1918年10月5日，邵飘萍主办的《京报》终于克服重重困难，在京问世。

《京报》问世后，即以其独特的风格抨击时弊、揭露虐政，受到了广大读者的欢迎，也引起了段祺瑞政府的注意。段祺瑞政府视《京报》为宣传异端，只是为了装装“民主”门面，才一时不予明令取缔，于是就尽力封锁新闻，特别是严禁新闻记者列席内阁会议。邵飘萍根本不理这一套。有一次，听说段祺瑞政府晚上召开绝密会议，邵飘萍事先潜入会议室隔壁房间，窃听到全部机密。第二天，《京报》登出独家新闻，官僚政客们读了后瞠目结舌、呆若木鸡。又有一次，段祺瑞政府讨论众人注目的“金佛郎案”，邵飘萍得知这个消息后，就雇了辆汽车，等候在内阁开会地方的门侧。不一会儿，见法国公使大步走来，他就尾随其后，看门的还以为他是法国公使的随从，也就任其坦然而入。邵飘萍进去后探听到内阁会议的全部内容，第二天在《京报》上和盘托出，段祺瑞政府见了又是哑巴吃黄连，有苦说不出。

1919年，五四运动爆发。邵飘萍激于爱国义愤，在报上详尽揭露了曹汝霖、章宗祥、陆宗舆的卖国罪行，有时还配以漫画，辛辣地加以嘲讽。对此，段祺瑞政府极为仇恨，终于下令查封《京报》，并下令逮捕邵飘萍。邵飘萍再度避往日本。

1920 年下半年，段祺瑞政府垮台，邵飘萍由日本回国。起初，北京当局想收买他，假惺惺地授予他“二级勋章”，邵飘萍耻于与反动当局为伍，对此不屑一顾。他四处奔走，一心致力于《京报》的复刊。在《京报》复刊那天，邵飘萍写下了“贫贱不能移，富贵不能淫，威武不能屈”“泰山崩于前，麋鹿兴于左，而志不乱”等文字，以表示自己与北洋军阀及其后台帝国主义斗争到底的决心。

在《京报》1921 年元旦特刊上，赫然出现了各派军阀的照片，并配有标题：“奉民公敌张作霖”“直民公敌李景林”“鲁民公敌张宗昌”“除通电以外无所成的吴佩孚”。将军阀一一示众，这是邵飘萍的精心设计，同时他还无所畏惧地把自己的照片也刊于同日报端，昭昭题着“本社社长邵振青”。特刊号出版后，读者竞相购买，数万份一抢而空，此事一时被传为美谈。据说，当天吴佩孚就在书案旁写下“邵飘萍”三字，把他视作肉中刺。

《京报》复刊后，邵飘萍与李大钊等往来密切，在许多方面接受了中国共产党的正确主张，《京报》成了北方进步舆论的重要阵地。在《京报》这张报纸上，邵飘萍实践着自己的誓言，一篇篇文章像一颗颗呼啸的子弹射向军阀政府。

1923 年“二七”大罢工时，邵飘萍在《京报》上热情支持工人的正义行动，怒斥军阀禁止工人合法集会、血腥枪杀工人群众的暴行。

1924 年 1 月，孙中山改组国民党，实现国共合作，提出“联俄、联共、扶助农工”的三大政策。消息传来，邵飘萍当即在《京报》上发表时评，予以热情颂扬。

同年11月，冯玉祥率部入京，囚禁贿选的总统曹锟，并把清废帝溥仪驱逐出宫，宣布废除帝号。对冯玉祥的这一进步行动，邵飘萍在《京报》上热情著文予以赞扬。

1925年初，孙中山为谋求政治统一而北上，《京报》上几乎每天都报道孙中山的消息。在北上途中，孙中山派人把他的一张照片专程送到北京，赠给《京报》，以感谢《京报》对他的支持。

震惊中外的五卅惨案发生后，邵飘萍目睹帝国主义肆意枪杀中国人民的滔天罪行，义愤填膺，怒不可遏。他在《京报》上强烈谴责帝国主义是"已退化于野蛮阶段之人中豺虎，自称文明绅士之强盗化身"，响亮地提出"打倒外国强盗，严办外国凶手"的口号。

震惊全国的"三一八"惨案消息传来，邵飘萍拍案而起，并立即派记者前往出事地点调查，自己则赴权威方面询问，直至深夜。回报馆后，又奋笔疾书，写下了那篇脍炙人口的讨段檄文《世界空前惨案——不要得意，不要大意》，文中严正指出："此项账目，必有结算之一日。"第二天，又写社论《可谓强有力之政府矣——举国同声痛哭，列强一致赞成》，以犀利的文笔呈现出段祺瑞一伙充当帝国主义走卒和打手的嘴脸。

"三一八"惨案发生后，邵飘萍两日不眠，以后数十日都是白天外出采访，夜晚奋笔疾书，几乎天天都有他写的消息、特写或专稿见报。同时，他还请鲁迅并肩作战。

段祺瑞对于伸张正义、反对卖国的人民恨之入骨。3月26日，他拟定了48人的通缉名单，邵飘萍、周树人之名全然在上。4月上旬，张作霖的奉军入京。由于邵飘萍同情冯玉祥的国民军，反对"讨赤"，还曾支持过奉军重要将领郭松龄倒戈，并多次指名谴责张作霖亲日卖国的罪行，因此被张作霖视作眼中钉，必欲拔之而后快。邵飘萍为免遭迫害，在奉军入京时，已避入六国饭店。4月22日，张作霖设骗局，通过邵飘萍的“友人”张翰举打电话，骗他回《京报》报馆处理报务，途中将他逮捕。两日后，张作霖以宣传“赤化”的罪名，未经审讯即将邵飘萍杀害。在刑场上，邵飘萍面不改色，仰天大笑，凛然就义。

数日后，张翰举亦接到一个电话，说有要事请他立即回家，途中被一个爱国青年当场击毙，并在他身上留下“以其人之道还治其人之身”的字条。这是无耻叛徒的应有下场。

邵飘萍被害的第二天，北京进步报纸纷纷发表噩耗，很有影响的《世界日报》在头版刊登大字标题：“邵飘萍以身殉报。”冯玉祥闻讯后失声痛哭，对邵飘萍作了这样的评价：“飘萍一支笔，抵过十万军。”

（选自《中国现代爱国者的故事》，作者黄京尧）

邵飘萍（1886年—1926年），浙江东阳人。从小在金华长大，革命志士，民国时期著名报人，《京报》创办者。他是中国新闻理论的开拓者、奠基人。因痛斥反动当局卖国罪行多次被捕，后被杀害。著有《新闻学总论》等。

断指血书明心迹

——革命家徐特立的故事

1907年，帝国主义看到清政府腐败无能，软弱可欺，便加紧了对我国的侵略，犯下了累累罪行。

徐特立当时在长沙周南女校任教。一天，他应邀来修业中学演讲。只听徐特立在讲台前大声说："各位青年学生是关心国家，热爱民族的。两年前长沙学生公葬陈天华、姚洪业烈士，抬棺游行，轰动全国，听说你们学校的不少同学也参加了。你们是觉醒青年的先锋！"

听见徐特立表扬大家的话，台下马上响起了一阵热烈的掌声。

掌声一停，徐特立说："去年我们湖南教育界为了反对清政府借口将粤汉铁路的筑路权收归'国有'，暗中向德国、法国、英国等外国银行抵借大量外债，损害国家和人民的利益，我和朱剑凡校长在周南女校出面集合各兄弟学校开会。经我们大家一致同意，各学校联合起来向清政府抗议，举行了我们湖南学界最早的一次全市罢课。当时的情形，大家也许都记忆犹新。那是何等的激烈、何等的奋发昂扬，表达出了我们湖南学界爱国爱民的热血心肠和不断高涨的情绪。"徐特立涨红着脸说着，会场上也有人在低声议论着，仿佛去年全市学生罢课的情景又回到了大家面前。接着，徐特立一个停顿，把话题一转，说："没有想到，巡抚衙门用他们一贯卑鄙的手法，把我们的爱国热情压下去了。我们提出的要求，他们不但一项也没有答应，还暗中解聘辞退了我们的一部分教师，做了许多见不得人的勾当。”

这时，讲台下有不少人举起手要求起来讲话。人群中有一位青年学生站起来喊道：“我完全拥护徐先生的讲演。清政府引狼入室，认贼作父，腐败到了极点。汉口教案，辰州教案，一味害怕洋人，签订了一个又一个卖国条约，实在是到了让人忍无可忍的地步。今天我们要救国救民，要振兴中华，只有起来革命!”

青年学生的讲话被一阵掌声淹没了。徐特立觉得这青年学生的话讲得不错，肯定是一位受了禹之谟革命思想影响的进步青年。

接着，徐特立列举了近几年来的几件人人知道的大事件，还有几件一些人还不知道的事情。如辰州教案是大家知道的，而美帝国主义威逼清政府签订了一个在美国虐待中国工人的条约，这是人们还不太知道的事情。这个条约本来已经期满，可以取消了。可是美帝国主义要求继续签订，并且要把这个不平等条约从在美华工扩大到在美国的所有华侨，甚至包括路过美国的中国人。消息传来，海外华侨首先抗议。清政府却不顾国家和人民利益，答应了美帝国主义这不平等的要求，同意签订这个条约。这引起了国内外人士的极大愤怒。上海商会通电，如果美国不取消这个虐待华工的条约，就要全国人民起来抵制美货。清政府知道了十分害怕，忍辱求和，竟然出面严禁人民抵制美货，把这一场全国反美爱国运动镇压下去了。

徐特立说到这里气愤不已：“清政府同列强签订了多少不平等条约，丢失了几十万、几百万两银子。现在连一个小小的华工条约都不敢作声，实在是腐败无能到了极点。好像是一个人病得奄奄一息，已经不可救药了。”

徐特立列举的最近事件是长沙米价一天之内连涨几次，弄得人民无法生活。《长沙时报》登了一条消息：有一挑水卖钱的黄贵符，用他一天卖水赚来的八十文铜钱，让妻子到粮店买一升米，米店门口却挂着：“早晚市价不同”六个大字。他问店家：“一升米要多少钱？”店家说：“要八十文铜钱，不过现在没有米。”这显然是奸商囤米不卖，要等着米涨价。到了下午，米价果然涨到了八十五文铜钱。黄贵符的妻子拿着这八十文铜钱买不到一升米，气得投河自杀了。黄贵符知道了，想到卖水活不下去了，米价还在飞涨，便也带着几个小孩投河死了。这一事件立即传遍全城，不少群众怒火中烧，一传十，十传百，纷纷围聚到各个米店、磨坊，捣毁店铺，包围善化县府，要求平卖。由于饥民一日闹事数起，湖南省抚台只好上奏军机处和外务部，发出布告，为了缓和米价，提出湘米禁运出省。可是长沙地区的外省洋行与奸商勾结，连夜囤积谷米几十万石，清政府不敢制止。

徐特立大声对学生们说：“民以食为天！清政府任凭外国奸商囤积谷米，让老百姓活活饿死。这样的政府，不能保卫国家，不能保卫百姓，我们要它干什么!”

徐特立的话，句句是事实，句句有道理，顿时整个会场鸦雀无声。那些不太明了真相、对清政府抱有幻想的学生，也感到清政府太不成体统，在下面口服心服地暗暗点头。徐特立自己则更是越说越激动，脸也红了，声音也高了。他格外兴奋地说：“同学们，工友们，清政府是坐在一座火山上，群众的怒火燃烧起来了，火山要爆发了。我们的革命先驱陈天华、禹之谟，为了唤醒民众，以死殉国，献出了宝贵的生命。那么我们每个人要想想为了革命，自己又能做些什么呢？难道我们还能醉生梦死，饱食终日，无所事事，无动于衷吗?”徐特立的话像一阵风暴从天际急驰而过，又像是一阵惊涛骇浪迎面而来，震撼着每个在场的人。大家先是屏息着静听，听着听着，强烈的爱国情绪涌上心头。徐先生的话说得多好啊，说出了大家的心声。

台下静极了。大家正等待着他继续往下说的时候，徐特立突然冲下了讲台，只见他三步两步冲到饭堂边的厨房里去了。

他要干什么呢?正当大家惊奇地张望的时候，徐特立从厨房里冲了出来，又重新跳到讲台上。只见他两眼满含热泪，举起从厨房里拿来的一把菜刀，充满激情地对台下的学生和工友们说：“民不聊生，国无宁日。特立不才，今日只有当众写下血书，明我心迹——”

徐特立一边说一边举起手中的菜刀，斩下自己左手的一节小拇指，从皮包里取出一张大纸，用血在纸上写了“驱除鞑虏，恢复中华”八个大字。然后举起手中的血书，对着台下喊：“驱除鞑虏，恢复中华!”

台下的人见了这情景，一个个崇敬地站了起来，都情不自禁地跟着他大声喊了起来：“驱除鞑虏，恢复中华!”

由于大家情绪十分激动，不少人一边喊一边流泪，有的还呜呜地哭了起来。

徐特立的同乡唐贻承在一边看着、喊着。他从来都没有听过这种慷慨激昂的讲演。他看见徐特立断指写血书，很是吃惊。他知道徐特立一直是研究学问的，平日斯斯文文，而今天如此大声疾呼，说明国难确实深重，也证明了他一腔爱国热忱和要发愤图强的决心，真是文如其人，言是心声，内心对他无比敬佩。想起徐特立的断指还在流血，唐贻承便连忙拿出一块干净手帕，走过去给他包扎上。

这时，早有学校校长、教务主任和一些教师、学生围了过来，向徐特立表示敬意和慰问。围在门口和窗口的校工厨师也拥了进来，向徐特立问好，跟在他的后面鼓掌，簇拥着他走出会场，依依不舍。他们觉得在当今社会上有许多只为衣食忙碌的人还在互相勾心斗角，又有几人能像徐特立先生这样有学识的人为国家民众呼号!

第二天，徐特立断指血书的消息传到了湖南的各个学校。许多教育界的人士写信给他，有致敬的，有慰问的，有表示拥护愿意做后援的。声势越来越大，不只是整个教育界轰动了，连整个长沙城都轰动了。

（选自《命运之谜——徐特立传》，作者柯蓝）

徐特立（1877 年—1968 年），无产阶级革命家、教育家。湖南善化（今长沙）人。五四运动时期赴法国勤工俭学，1927 年加入中国共产党。新中国成立后，曾任中央人民政府委员会委员、中共中央宣传部副部长。著有《徐特立文集》等。

战“鬼城”痛失右眼

——刘伯承元帅的故事

涪陵位于长江南岸，地处天险乌江出口处，是川东和贵州北部水上交通的咽喉。刘伯承在这里把由哥老会、当地农民以及涪陵警备队队长杨光烈所组成的杂色队伍约400多人，拉到涪陵大顺场举行反袁起义，树帜为“中华革命军川东护国军第四支队”。这支队伍一直由刘伯承实际负责指挥，康云程负责联络。

涪陵一带群众基础比较好，刘伯承、康云程等人刚入川时曾做过充分的发动工作。当地农民对于袁世凯和北洋军阀的残酷压榨和剥削早已恨之入骨。川东护国军成立以后，立即得到群众的拥护。刘伯承的队伍迅速壮大，周围一些依附袁世凯的官吏和走狗，只能龟缩在城内观望，不敢越雷池半步。

1916年2月，蔡锷将军率护国军向泸州进攻，与北洋军在纳溪棉花坡一带展开激烈的争夺战。特别是朱德率领的第六支队(后改为第三支队)，坚守阵地，稳如泰山，打得北洋军弃尸遍地。但由于旷日相持，护国军既无援兵，又无粮草弹药，情况十分危急。

随着战事的不断扩大，整个川南几乎全部变成了战场。袁世凯为了保住自己的地位，接连发急电给陈宧、张敬尧、周骏、刘湘等人，命其拼力死守。同时，袁世凯又大量增调援兵，赴前线参战。

刘伯承听到这些情况后，心急如焚，决心开展更大规模的游击战，坚决截断长江交通，控制北洋军援兵的通道。1916 年 3 月，川东护国军第四支队在刘伯承的带领下，以突然袭击的方式将涪陵巡防队的 30 多支枪全部缴获。然后，这支 400 多人的队伍带着 200 多支杂牌枪，准备攻打邻近的长寿县。

长寿县在重庆下游，位于长江北岸，背山面水，地势十分险要，是个易守难攻的地方。刘伯承谨慎地命令部队在城边停下，又派人进一步了解敌情，至黄昏时才下令攻城。护国军声势很大，杀声震天。北洋军踞城顽抗，双方激战了一个多小时，但城内警备队毫无内应的迹象。看到这种情况，刘伯承果断地说："警备队可能有变，立即退出战斗!"

随后，他又精神焕发地说："我提议立即向丰都进击，那里敌人的势力较弱，增援也不容易，江面窄、地势险，正是敌军的要害。打蛇就要打七寸，致敌于死命。"于是，部队经桃花街连夜向 200 里外的丰都前进。

丰都位于长江北岸，是一座历史悠久的川东古城。很久以来就有一个传说，人死了以后阴魂都要归入地府阎罗殿，而丰都就是鬼神俱备的"阴曹地府"，那里有"冥山""阴阳界""奈何桥""望乡台""玉皇殿""云霄殿"等，是一座令人毛骨悚然的"鬼城"。在夜间行军的时候，就有人提心吊胆地说："丰都是闹鬼的地方，碰不好会跌进阎罗殿哩!"这些说神道鬼的话一时引起不少人的恐惧之感。

刘伯承坦然笑道："是人怕鬼，还是鬼怕人呢？你把两只眼睛瞪得大大的，鬼见了就会怕你。我们护国军连袁老贼都敢打，死都不怕的，还怕啥子鬼嘛!"

大家听了这番话后哄笑起来，有人接茬儿说："我们深更半夜地攻击，丰都城里的人也以为是来了鬼呢，我们就弄它个神出鬼没。”

丰都的民众对袁世凯称帝憎恨不已，十分拥戴护国军。当刘伯承率护国军准备攻城的时候，消息传得满城风雨。

3月17日拂晓，北洋军进抵新城布防的时候，与护国军发生接触。刘伯承亲临第一线指挥作战。北洋军顶不住冲击，很快便向河边退守。刘伯承迅速指挥部队抢占有利地形，居高临下，猛击背水作战的北洋军，打死打伤北洋军100多人。

随即，刘伯承又带领部队乘胜攻取县城。在大西门、小西门等处，护国军与城墙上的北洋军进行对射。正在双方打得难解难分的时候，事先埋伏到城里的伏兵突然杀出来，康云程等人设法打开了大西门。北洋军见里外全是护国军的人马，争先恐后地亡命逃窜。护国军胜利占领丰都城。

在肃清城内的残敌以后，接连几日，刘伯承都带领部队到江边进行阻击，狠狠打击企图西进的北洋军援兵，有力地保证了川南决战。当时在前线作战的朱德同志回忆说：“护国之役，泸州纳溪棉花坡一战为此役之决战，刘伯承同志此时在夔门截断长江交通，侧击张敬尧、曹锟军，应援蔡锷护国军，对于此役的胜利有极大功绩。”

3月20日，又从下游驶来4艘北洋兵船，气势汹汹地准备夺回丰都城。刘伯承一声令下：“打！”顿时排枪齐放，北洋军纷纷落水，呼天喊地地叫救命。双方激战一个多时辰，北洋军的两艘兵船被打沉，卷进汹涌的波涛中，护国军欢呼不已。刘伯承风趣地说：“袁皇帝的兵来了，要让他们多喝点儿长江的水酒，尝尝当皇帝的味道。”

不一会儿，后面的两艘兵船以更加猛烈的火力向岸上还击，拼命向岸边靠拢，强行登陆。这群北洋军迅速抢占了有利地形，使用优良火器疯狂射击。在重机枪和小山炮的攻击面前，护国军渐渐支撑不住了，主动退回城内防守。

到了下午的时候，北洋军的援兵陆续赶到，占据了丰都城外的平都山等处高地，向城中倾泻大量弹药。这时的丰都城，火光四起，战斗异常激烈，刘伯承镇定地指挥部队，顽强地进行抵抗，打退北洋军多次进攻。

忽然，刘伯承见一位士兵的射击位置不当，身体过于暴露，急忙侧身过去纠正，并高喊道："快蹲下点儿打!"话音刚落，刘伯承不幸猛然倒在血泊之中。他头部连中两弹，一弹从颅顶穿过，一弹从右太阳穴进去，透过右眼而出。待苏醒过来时，他发现什么也看不见了。用手一摸头部，在满脸黏黏糊糊的血块中，突然触摸到一个圆球——眼球。"啊! 眼珠子被打出来了，天哪!"

他奋力睁开左眼，模模糊糊看到护国军的旗帜还在城头上飘扬。他试着把眼球再塞进去，可是没有用。在旁边的士兵发现刘伯承负伤倒地，急忙过来扶他，他猛地将人一推，指着城墙下的北洋军，大声喝道："管我干啥子！"说完，他顺手操起刺刀，"嚓"地一下，将眼球从连着的筋肉上割了下来，紧紧地攥在手心，又晕厥过去……

不知是什么时候，几位士兵在乱尸堆中找到了他，一摸胸口，居然还有体温，心脏也在跳着。大家把他抬进城里的邮局，并请来恒春茂药房的郑慎之老板，帮助进行治疗，在他的头部和右眼敷了些止血的草药和烟丝。这一切处理完后，刘伯承的伤痛有所缓解，低声对郑老板说："我不要紧了，你们快去救别的伤员，让我睡一会儿。"郑慎之看他情况确实比较平稳，但为了安全起见，将刘伯承反锁在楼上的一间小房子里，以免被外人发现。

入夜时分，北洋军又派来大批援兵，猛攻丰都县城。护国军因兵力不足和失去刘伯承的指挥，力渐不支，且战且退，撤出城区。北洋军进城

后，为发泄对护国军和市民们的仇恨，大肆烧杀，纵火焚城，烧毁千余家，死伤不计其数。邮局也着火了，熊熊的火焰直往楼上蹿！昏迷中的刘伯承顿时感到一阵灼热，意识到火已烧上了楼，情形十分危急！他挣扎着爬到门边，门被反锁！他心想，这下必死无疑了。嘴里喃喃地念着当天的日子：“丙辰……二月十七……二月十七日。”

忽然，他的左眼看到窗户外面闪现的火光，像是看到了一丝希望，便爬到窗边，蒙上一床棉被，狠心一跃，从窗口滚了下去。

不料，楼下也是一片火海！在这危难时刻，护国军的几个士兵前来寻找指挥官，他们七手八脚把刘伯承从火堆中抢救了出来，夹杂在难民堆中向城西退走。后来，待郑慎之赶到邮局，只见一片废墟，料定刘伯承已被烧死。据说在护国战争以后，郑慎之为怀念刘伯承的丰功伟绩，还和市民们一道专门在丰都城西门立了一块墓碑，上面写着“护国英豪刘伯承之墓”几个大字。可在几年以后，郑慎之又亲眼见到了刘伯承，一时竟传闻是“神灵显世”。

出城以后，刘伯承随部队一直向西转移。当时没有担架之类的救护工具，康云程和支队的差遣杨文龙就找来一只大箩筐，让刘伯承顶着一床棉被，蜷缩在筐里。部队行进在崎岖的山道上，箩筐也随着起伏颠簸、摇摇晃晃。刘伯承咬着牙，忍着剧烈的疼痛，一声也不吭。就这样，护国军取道彭家垭口，经新城、大池、马虎垭，退往涪陵鹤游坪 (今属垫江)。

部队停下以后，决定就地休整。刘伯承首先不能忘怀的是在丰都之战中牺牲的将士。他忍着剧痛，组织召开阵亡将士追悼会。人们看到他满头包着绷带，血迹斑斑，只露出闪着炯炯光芒的左眼。刘伯承强力支撑着，举起紧攥的右拳向死难者默哀、致意，牙缝里挤出铮铮之声：“护国之要，唯铁与血，袁氏不倒，天理不容。”

说着，又一次昏了过去。人们发现他的右手始终紧攥着不松开，掰开一看，竟是凝结着血块的眼球。见此情景，全场将士不禁潸然泪下。

此时，川中的反袁斗争已成燎原之势，各地起义军纷纷揭竿而起，讨伐袁贼，以往附北的川军也陆续反戈相击。四川护国军的6个支队也壮大到“有众万余人”，活跃在四面八方。这些都有力地配合了川南决战，使护国战争取得了决定性胜利。在此前后，云南、贵州等省宣布独立，更打破了袁世凯称帝的黄粱美梦。1916年3月23日，袁世凯无可奈何地被迫宣布放弃帝制。

（选自《九死一生》，作者陈石平）

刘伯承（1892年—1986年），四川开县人。1913年参加四川讨袁之役，1927年参加南昌起义任中共前敌委员会参谋团参谋长，1930年从苏联学习回国后任中共中央军事委员会总参谋长，抗日战争时期任八路军第129师师长，解放战争时期任第二野战军司令员。1955年被授予元帅军衔。

慷慨赴死　光照千秋

——革命先驱李大钊的故事

1927年4月6日，李大钊等人被捕的消息震撼了神州大地，也震惊了世界各国。为抗议奉系军阀张作霖悍然违反国际法、指派军警闯入苏联使馆进行大搜捕的野蛮行为，莫斯科十万工人、职员举行游行，声援李大钊等被捕同志。

李大钊被捕之后，京城内外各界人士竞相营救。首先，国立北京大学、北京师范大学等9所学校的校长召开了校务讨论会，共同决议营救办法。同乡300余人联名请释，呈文言李大钊“茹苦食淡，冬一絮衣，夏一布衫，所受之辛苦，有非笔墨所能形容者……故公民等以同乡关系，愿保留李大钊之生命”。

当时，被激怒的各界人士强烈地要求获悉李大钊在狱中的情况。反动当局迫于压力，在审讯李大钊的时候，准予极少数报纸的记者出庭旁听。在几经删减的新闻稿中，人们仍然知道了“李大钊受审时，态度甚从容，毫不惊慌”“着灰布棉袍，青布马褂，俨然一共产党领袖之气概”“精神甚为焕发，态度极为镇静，自称为马克思学说之崇信者，故加入共产党，对于其他之一切行动则谓概不知之，关防甚严……”。

鉴于对李大钊轮流审讯、严刑拷打无济于事，杨宇霆在征得张作霖的同意之后，决定亲自出马，用软的手法压住营救李大钊的风潮。这天清晨，杨宇霆卸去戎装，着西服革履，来到了一间中西合璧的客厅。

不久，身着灰布棉袍、青布马褂的李大钊肃然走进来。杨宇霆一见李大钊那特别开阔的天庭，不禁说："难怪是个英才啊!"他佯装热情地伸出右手迎过去，遭到了李大钊的冷遇，又匆忙缩回右手，自我解嘲地说："请坐，请坐。你我都是老相识了，更何况还兼有乡情之谊呢!"

李大钊淡然一笑，泰然自若地坐在一张沙发上，双手整了整盖膝的棉袍前大襟，然后才抬起头，望着十分不自然的杨宇霆，不屑地回答说："可惜啊，我不是您的老乡。"

"您……可真会说笑话。我们在日本的时候，不就和俞德一起认过老乡了吗?"

"是的! 那是我们同在异邦。"李大钊不慌不忙地说，"而今不同，你是堂堂安国军的参谋长，我是你的阶下囚，必须声明，咱们不是老乡!"

"守常先生，这些年来，你我各为其主，走着不同的救国之路。今天相见，我主要是和您叙叙旧。其次，愿以亲身知遇相告：张总司令是很爱惜英才的!"

李大钊听后，从鼻孔中挤出一个"哼"字来，旋即又淡然一笑，说："破例召见我，也是他的旨意吧?"

"是的，是的……"杨宇霆喜形于色地说，"他再次让我向您表示诚意，半壁中国已操于大帅之手，东北三省愿交由您协助治理。"

李大钊听完后冷冷一笑，不动声色地回答道："这东三省的官太小了一点儿!"

"好说，好说……"杨宇霆从自己的处世哲学出发，高兴地说，"权力对任何政界人物都是有吸引力的! 守常先生，您可谓一代旷世奇才，在这些问题上是可以开诚布公地谈谈想法的。”

“好吧!”李大钊昂起头，肃然回答道，“我们的目的是想得到整个世界!”

“这……”

“这就是我的全部忠告，也就是我的全部供词!”

杨宇霆深感遭到了戏耍，几乎就要暴怒起来，他强压住火气，威胁地说：“守常先生，您可要想好啊，万万不要把好心的忠告当作儿戏，一失足，往往成千古之恨!”

李大钊知道劝降的戏就要落幕了，为了促使杨宇霆迅速转到下一幕，有意说道：“遗恨是有的，但不是你所指的荣华富贵。大丈夫生于世间，宁可粗布以御寒，‘晚食以当肉，安步以当车’，就是断头流血，也要保持民族气节，绝不能为了锦衣玉食，就去向卖国军阀讨残羹剩饭，做无耻的帮凶和奴才!”

李大钊的每一句话都刺在了杨宇霆的痛处。他气得蓦地站起身来，浑身颤抖着说不出一句话来。但考虑到社会舆论，他故作大度地说：“守常先生，张总司令委托我举行一个记者招待会，您可以如实地向新闻界谈谈这些天来的情况。”

李大钊庄重地站起身来，说：“那就请你带个路吧!”

杨宇霆带头走出客厅，来到一间不算大的会议室。久候的中外记者们争相拍摄。李大钊步履稳健地走到台前，坐在一把太师椅上。杨宇霆伸出双手示意安静，故作潇洒地说：“先生们，女士们，近来报界谣言四起，惑乱民心，说张总司令如何虐待李大钊先生。今天，我受张总司令之命，召开这样一个特殊的记者招待会，大家自由采访，把真实情况告诉国人!”

杨宇霆说罢端坐在另外一把太师椅上，与李大钊并行而坐，显得十分亲热、随便。这时，一位女记者大声问："李大钊先生，你自认是共产党吗？"

"这是世人皆知的事，无需再说些什么。"

一位身着西装的男记者站起身来，关切地问："外边风传，李先生身陷囹圄，皮肉受苦，这是事实吗？为什么今天又把您奉若上宾，自由地向新闻界讲述自己的情况呢？"

"阶下囚的生活，我深信古往今来是一样的，无需我来细谈；眼下，我这位阶下囚被奉若贵宾，这也是合乎情理的事，因为贵宾和阶下囚没有不可逾越的鸿沟。自然，目的是迥异的，这恐怕也算是对待像我这样的犯人的一种公式吧!"

李大钊的回答惊得记者们啧啧咂舌。一位清癯、古板的记者站起身来，一本正经地问道："李先生，听说张大帅想请您出山治理关外三省，可有此事？"

"这也是旧闻！"李大钊侧身指着杨宇霆，轻蔑地说，"说客就是这位安国军总司令的参谋长杨宇霆。"

这时，一位日本记者匆忙站起身来，操着熟练的汉语说："李先生!请问你是如何答谢张大帅的恩典的呢？"

李大钊自然懂得这位日本记者问话的潜台词，他浩气凛然地回答道："我对杨宇霆说过这样一段话：大丈夫生于世间，宁可粗布以御寒，'晚食以当肉，安步以当车'，就是断头流血，也要保持民族气节，绝不能为了锦衣玉食，就去向卖国军阀讨残羹剩饭，做无耻的帮凶和奴才!"

中外记者们闻之哗然。杨宇霆借口今天的记者招待会是问询李大钊狱中生活的，强行结束了这场滑稽戏。李大钊待中外记者们离去之后，侧首看了看杨宇霆，嘲弄地问："奉若上宾的戏到此闭幕了，下边就该上演阶下囚的戏了吧?”

杨宇霆闻之大怒，霍然起身，颤抖地说了一句：“你……也太不识抬举了!”说完便拂袖离去。李大钊望着杨宇霆的背影，禁不住冷笑。这时，两名背插大刀的刽子手走了进来，大声喊了一句：“走!”李大钊果真又被带上秘密的公堂，主演阶下囚的戏去了。

自此以后，军阀当局对李大钊进行了多次审讯，但每次审讯的结果都是一样的。除对于“共产学理及主义，均承认不讳”外，其他一概不知；对所谓种种“罪名”，则“竭力辩白，谓并无此项行动”。敌人面对志坚如钢的李大钊，完全到了黔驴技穷的地步了。

1927年4月28日，在张作霖和杨宇霆的指使下，由安国军总司令部、京畿卫戍总司令部、京师高等审判所、京师警察厅组成的所谓特别法庭，偷偷地在警察总监的一间客厅里匆忙进行“军法会审”，判决对李大钊等20位北京国共两党的负责人立即处以绞刑。

下午1时许，警察厅大院里杀气腾腾，三步一哨，五步一岗，宪兵、军警手握长枪，刺刀闪着寒光。李大钊身着灰布棉袍，气宇轩昂地从临时审判庭的门口大步走出，身后跟着19名中华民族的优秀儿女。李大钊第一个登上早已停放在院中的汽车，汽车相继起动，驶出京师警察总监，穿过戒备森严的前门箭楼，驶入西交民巷京师看守所的大门。

在京师看守所的后院里，竖着一个绞刑架，持枪的刽子手们列队布满了院子。李大钊等20名革命者从车上走了下来，他们一个个视死如归，绕着绞刑架站了个半圆形。那位宣判绞刑的法官踱着方步走到绞刑架前，故作姿态地说：“李先生，此刻仍是亡羊补牢之时，请你三思。”

李大钊面对竖立在眼前的绞刑架，就像是往昔站在北京大学的讲堂上那样，仍旧是那样的平静、沉着，他声调不高，操着嘲弄的口吻，有些幽默地说："你们好像热锅里的游鱼一样，还想昏头昏脑地演丑戏？"

这位法官听后气歪了鼻子，异常冷漠地说："那我就爱莫能助了！李先生，共产主义是从西方传来的，所以特为诸位动用来自西方的这座绞刑架！这也叫以其人之道，还治其人之身吧！"

李大钊轻蔑地一笑，十分自信地说："历史是公正的，尽管它走着曲折的路。我想总有一天会以其人之道，还治其人之身的！"

"不要说了！"法官气得有些发火了，恶狠狠地说，"谁第一个走上绞刑架？"

李大钊坦然地走到绞刑架下，深情地巡视了一遍身边的战友，然后不露声色地朝着法官微微点了点头，法官惊得瞠目结舌，他看到李大钊那炯炯有神的双目正向他射出高傲鄙夷的目光，匆忙取出一方手帕，轻轻地擦了擦额头上的冷汗，胆怯地说："李先生，遵照祖宗的典规，在此时刻，你有什么话都可以说。"

李大钊望着汗颜的法官淡然一笑，声调不高地说："你站在绞刑架旁，也配谈祖宗的典规？真是不知天下还有羞耻二字！我要告诉你们的是，不能因为你们今天绞死了我，就绞死了伟大的共产主义！我们已经培养了很多同志，如同红花的种子，撒遍世界各地！我深信，共产主义在世界、在中国，必然会取得光荣的胜利！"

行刑的法官，持枪的军警、宪兵们被吓得毛骨悚然。而范鸿劼、张挹兰等战友们个个昂起头，露出了骄傲的微笑。李大钊异常坦然地登上了绞刑架下的长凳，把绞索套在自己的脖子上，微笑着向19名战友们点了点头，接着踢倒脚下的长凳，只见他那魁梧的身躯悬在空中，不停地摇曳着……

行刑的刽子手们慌了手脚，站在一边的法官惊得浑身战栗不止，禁不住地自言自语道："啊！他，一定不是凡俗之人……"这位法官为了发泄对革命者的愤恨，又大声命令刽子手："把李大钊从绞索上放下来!"

两名刽子手把李大钊从绞索上解了下来，平稳地放在了地上。过了一会儿，李大钊慢慢地苏醒过来，伸出右手揉了揉被绞索勒痛的颈项，双手按地，又吃力地站了起来。当他看见战友们一脸的浩然正气时，蓦然之间想起了自己所敬仰的白雅雨先生的《绝命诗》："慷慨赴死易，从容就义难……"遂又再次登上长凳，把绞索套在自己的脖子上，吃力地踢倒了脚下的长凳，很快又失去了知觉……

残暴的敌人再次把李大钊从绞索中放下来。待到李大钊从昏死中再次醒来，他已经失去了再站起来的力量。他鄙夷地看了看面如土色的法官，又微笑着望了望愤怒的战友们，他默念起了自己曾说过的话："人生的目的，在发展自己的生命，可是也有为发展生命必须牺牲生命的时候。因为平凡的发展，有时不如壮烈的牺牲足以延长生命的音响和光华。高尚的生活，常在壮烈的牺牲中……"

当李大钊第三次被敌人套上绞索时，他便完全地践行了自己的理想——壮烈地献出了38岁的伟大生命，永远地延长着他那生命的音响和光华!

中共中央于1983年2月决定重建李大钊烈士陵园，并于10月29日举行落成典礼。松柏长青的李大钊烈士陵园，坐落在香山万安公墓内，陵园占地面积约2200平方米。园门的上方悬挂着"李大钊烈士陵园"匾额。进入园门内，迎面是李大钊烈士的汉白玉全身雕像。雕像后是李大钊烈士墓和李大钊夫人赵纫兰墓。墓后有一座宽4米、高2米的青花岗石纪念碑。碑的正面镌刻着邓小平同志书写的题词："共产主义运动的先驱伟大的马克思主义者李大钊烈士永垂不朽。"碑的背面是“李大钊烈士碑文”，全文共2000余字，高度概括了李大钊烈士光辉的一生和永垂不朽的业绩。

(选自《中国教育报》，作者王朝柱)

李大钊 (1889年—1927年)，字守常，河北乐亭人，共产主义运动的先驱，伟大的马克思主义者，中国共产党的主要创始人之一，1927年4月28日英勇就义。遗著编有《李大钊选集》和《李大钊诗文选集》。

狱中怒火

——周恩来总理的故事

1919年，五四运动爆发后，周恩来同志在天津创立了觉悟社，带动天津学生联合会更加积极地组织男女学生，投入汹涌澎湃的反帝爱国运动。

他们走上街头演讲，反对日本帝国主义，宣传抵制日货，焚烧日货；他们率领学生集会，向卖国政府游行示威。

在激烈的斗争中，周恩来同志总是站在运动的前列。他白天到处奔走，宣传讲演，晚间经常写稿到深夜。他用全部精力努力宣传真理，努力唤醒民众。

正当爱国运动向前蓬勃发展的时候，严重的打击突然向他们袭来。北洋军阀卖国政府查封了学生联合会，拘捕了24名学生和各界代表。

反动派的迫害哪能动摇革命者的斗争意志!

炽热的爱国热情、被压迫的愤怒火焰，激励着周恩来等学联负责人勇往直前。他们不怕一切困难、不顾一切牺牲，决定率领青年学生举行大规模的请愿斗争。

1920年1月29日，天津东马路上，一队又一队的男女学生冒着凛冽的寒风，从四面八方赶来集会。他们手拿“打倒日本帝国主义”的小旗，高呼口号，边走边散发传单，还慷慨激昂地向周围群众发表演讲。

下午，浩浩荡荡的学生请愿队伍在周恩来同志的带领下，包围了省政府，强烈抗议政府镇压爱国学生运动，要求启封学生联合会，释放被捕人员，他们要省长马上出来答复。

在学生们正义斗争的威力下，省长吓得紧紧关闭大门，不敢出来。同学们就推选周恩来等 4 位代表去见省长。经过再三交涉，军警还是不肯开门。怎么办呢？忽然，他们机警地发现省政府的大门虽然关上了，可底下的门槛还没上起来，离地面还留有 1 尺多高的空隙呢！周恩来等 4 位代表立刻奋不顾身地从大门底下钻了进去。

他们刚刚进到门里，还没有站起身来，凶狠的军警就把他们紧紧抓住了，周恩来等同志被捕了。

周恩来同志被捕后，和 20 多个先后被捕的代表一起，被关押在拘留所。他们住在鸟笼似的棚子里，敌人既不审讯，也不释放，还不准彼此往来。周恩来同志便利用上厕所的机会给战友们传递字条，商量对策。每天睡觉之前，敌人照例吹号集合“训话”，周恩来同志和战友们一听见号声，便集体上厕所，先是个别联系，互相传消息，后来越聚越多，形成了集会。

一天晚上，敌人又吹号集合“训话”了。解散时，一张字条在一个个“犯人”的手中传递着，打开一看，上面写着：“质问警厅，既不审问，又不释放，是何道理？”原来这张字条是周恩来同志写了传出来的。

第二天，警察厅厅长杨以德又到各个监房巡查。大家都厉声质问他：“你们抓人，根据哪条规定？为什么不公开审判？”

杨以德说不出理由，狼狈地走开了。周恩来同志正在监房里埋头写作《警厅拘留记》，看到杨以德走过来，就把事先准备好的一张字条递给了他。

杨以德本来不识字，但他却装模作样地打开字条，看了一遍，然后说：“很好，我回去考虑考虑。”

回去以后，他找秘书一念，字条上的内容竟和其他“犯人”质问的一样，气得他脖子上的青筋蹦得老高。

杨以德又想了个鬼主意来整学生代表。一天，他突然把被捕的代表分组召去，发给每人一份答卷，提出21个问题要每个人回答。

这是敌人设的圈套。周恩来同志立刻通知大家，一律回答：“不知道。”

杨以德无可奈何，又派人找周恩来同志谈话，先是假惺惺地说了些夸奖学生爱国的话，然后问道：“《天津学生联合会报》是谁主笔？”

周恩来同志回答：“没有主笔。”

敌人又问：“学生联合会的经费从何而来？”

周恩来同志很严肃地回答说：“你们无权调查我们学生联合会的经济情况，我也无须回答。”

敌人碰了一鼻子灰，他们的阴谋又一次被粉碎了。

4月初，周恩来同志和代表们宣布绝食，要求放松管制和立即开庭审讯。

这个消息很快就在社会上传开了，引起了广大人民群众的愤怒。这时候，邓颖超等24名同志背着行李赶来了。在代表们被捕后，他们一直在坚持斗争，现在又发动学生自愿签名，来代替被捕的代表们坐牢。

他们理直气壮地对杨以德说：“我们的代表因为爱国被你们抓起来了，代表是我们大家推选出来的，不能只让他们在监狱里受苦，我们要求入狱来替换他们。快把他们放了，把我们关起来吧!”

这种事情，杨以德自从当了警察厅厅长以来还没见过。他又惊又怕，只得放松对被捕代表们的管制，允许他们在院里散步、串门，并答应向省长转达开庭审讯的要求。

这一天，周恩来同志和一位代表坐在同一间监房里，对当前的斗争形势交换了意见，认为应该利用现在的条件，动员大家多读些有关新思潮的书，以提高觉悟，坚持斗争。

他们想方设法弄到了一些进步书刊。在敌人的牢房里，年轻的革命者们自觉地形成了一套学习纪律，虽然没有明文规定，却比明文规定更有效力。

为了进一步鼓舞大家的斗志，并向看守他们的警察进行宣传教育，周恩来同志等还在狱中组织了剧团。他们排演了两出话剧：一出是表现越南人民反抗法国帝国主义的《救国镜》，一出是揭露土豪劣绅残害人民的《新村正》。周恩来同志既当主角，又是导演。演出时，除了没有化装，其他都和正式公演一样。通过演出，更坚定了大家的斗志。

1920 年 7 月 17 日，在全国人民的声援下，经过被捕代表们的坚持斗争，反动当局被迫将被捕代表们全部释放。

周恩来同志跨出牢门，胜利地走上了新的征途。

（选自《周总理的故事》，邵年豹编写）

周恩来 (1898 年—1976 年)，原籍浙江绍兴，生于江苏淮安。自 1926 年起，长期担任我党、我军的重要领导职务，新中国成立后长期担任国务院总理等职。1976 年 1 月 8 日在北京逝世。遗著有《周恩来选集》。

粪土王侯

——朱德元帅的故事

1922年11月，原为云南陆军宪兵司令部司令官等职的朱德，在德国参加了中国共产党。为什么朱德放弃高官厚禄，远涉重洋参加共产党呢？这与他自幼立志以身许国是分不开的。让我们先从他的身世谈起。

少年立志　从军报国

朱德，出生在一个贫苦的农民家庭。他的青少年时代，正处在清朝衰落、帝国主义列强侵略中国的时候。中国人民在帝国主义和封建主义的剥削压迫下，处于水深火热之中，生活十分悲惨。青少年时期的朱德，饱尝了中国广大农民的艰辛和苦难，深切了解中国社会的黑暗和腐败。他怀有强烈的爱国心，立志从军，掌握枪杆子，使中国富强起来。那时候，一般人认为当兵是没有出息的，他的想法遭到了家里人的反对。但是朱德冲破了家庭的阻力，经过千里跋涉，来到云南昆明报考了陆军讲武堂。

讲武堂是清政府培养新军军官的学校。1909年，23岁的朱德考入了讲武堂。云南地处祖国西南边陲，地理位置十分重要，清政府和革命派势力都很重视。以孙中山为首的革命同盟会，积极在讲武堂和云南新军中发展革命势力，讲武堂的不少教官都是在日本留过学的同盟会会员。他们向学员们灌输革命思想，让学员们阅读进步书刊。朱德很快接受了革命思想，加入了同盟会。回顾这一段历史，朱德写道：

清末叶，内讧未息，外患频来。生当其时，若尽袖手旁观，必蹈越南覆辙（指越南沦为法国的殖民地）。不得已，奋身军界，共济时艰。

1911年10月10日，武昌起义爆发，各省革命党人奋起响应。10月30日，云南新军第三十七协协统（旅长）蔡锷将军在昆明发动了“重九起义”，宣布独立。他派朱德带人攻打云贵总督衙门。朱德机智勇敢，攻入督署，活捉了清朝云贵总督李经羲，立了战功，第二年晋升为少校营长。

护国护法 寻求真理

清政府被推翻后，袁世凯窃取了辛亥革命的果实。他大搞独裁卖国活动，妄想复辟帝制。1915年12月25日，蔡锷将军在云南举起了反袁护国的大旗，宣布云南独立，组织护国军讨伐袁世凯。朱德随蔡锷的护国军第一军进入四川，担任支队长（团长）。袁世凯在四川的北洋军有几万人，而入川的护国军只有几千人。朱德率领着正义之师，身先士卒，英勇战斗，经过艰苦的浴血奋战，终于挫败强敌，打出了威名。在进攻泸州蓝田坝的决战中，朱德再次以少胜多，打败了北洋军的精锐部队，为护国战争立下了卓著功勋。不久，他被晋升为少将旅长。

袁世凯死后，段祺瑞控制了北洋军阀政府，拒不恢复国会和《中华民国临时约法》，以参战之名，行扩军之实，妄图以武力实现独裁统治。孙中山号召护法，在广州成立了护法军政府。西南各省纷纷响应。朱德参加了护法运动，决心追随孙中山，把反对北洋军阀的斗争进行到底。但是，西南军阀并不是真心护法，而是与北洋军阀勾结起来排挤孙中山。孙中山离开广州回到上海，护法运动失败了。此后，西南军阀陷入了新的混战之中。

经过这次事变，朱德亲眼目睹了辛亥革命时期的许多老同盟会会员，现在也变成了抢夺地盘、争权夺利的新军阀，而且自己也身不由己地卷入了西南军阀的混战之中。他感到茫然、苦闷和彷徨。中国的出路何在?

1917年，俄国十月革命爆发了。十月革命的胜利给了中国人民以新的希望，北京爆发了五四爱国运动。这时，介绍十月革命、宣传马克思主义与革命新思潮的报刊和社团纷纷涌现。朱德经过好友孙炳文的介绍，也开始阅读《新青年》等进步书刊，探求解决社会问题的道路。他开始认识到西南军阀和北洋军阀并没有实质的不同，用一派军阀打倒另一派军阀，并不能达到救国的目的。他感到应当学习俄国的新式革命理论和革命方法，从头进行革命。为了探求革命的真理，他的好友孙炳文离开四川去了五四运动的发源地北京。朱德也准备在打倒云南的土皇帝唐继尧之后，去北京或国外考察。1920年底，朱德随驻川的滇军回到云南，推翻了唐继尧的统治，暂时出任了云南陆军宪兵司令部司令官、云南省警务处处长兼省会警察厅厅长等职。这时，他的生活比较安定、富裕，薪俸很高。但是“国事日非”，寻求救国真理的念头时时萦绕在他的心头。经过激烈的思想斗争，他觉得功名利禄犹如粪土，救国救民，以天下为己任，才是人生的最大追求。他决心抛弃高官厚禄，去寻找革命的真理。1922年3月，朱德离开昆明，踏上了寻找救国救民之路的征程。

远涉重洋　走上新路

朱德离开昆明到达重庆后，四川军阀杨森想拉他入伙，答应让他当师长，朱德拒不接受。这时，他听到中国共产党在上海成立的消息，他认为这就是为工人和劳苦大众求解放的党，他要找的就是这样的党。朱德乘船顺流而下到达上海，但他没有找到党组织，于是就来到北京找好友孙炳文，想通过他的介绍找到党组织。孙炳文陪同朱德重返上海，会见了孙中山。孙中山建议朱德再回云南，重整旗鼓，或去美国考察。朱德回答说：“社会主义运动正在欧洲兴起，我要去马克思的故乡德国。”他们又一起去找陈独秀，提出了入党的要求。陈独秀对这位曾参加过军阀混战的滇军将领很怀疑，认为像朱德这样的人入党，必须经过长时期的学习和考察。朱德感到很失望，于是决定到欧洲去。

1922年9月，朱德和孙炳文乘坐轮船离开上海，经新加坡到马赛，踏上了法国的土地。法国有许多中国的勤工俭学的留学生，他们是在五四运动以后，到法国来学习马克思主义和各种社会主义学说的。早在1921年，勤工俭学的学生就成立了秘密的共产主义小组，后来又建立了中国共产党旅欧总支部。朱德和孙炳文打听到旅欧总支部的负责人叫周恩来，当时不在法国而在德国柏林，他俩又急匆匆地赶往柏林。

周恩来是五四运动中领导天津学生进行爱国斗争的领袖，1920年底来到法国，1921年来到柏林。1922年11月下旬的一天，朱德和孙炳文叩开了周恩来住处的大门，他们怀着紧张不安的心情，说明了自己的身份和来历。朱德向比他小十多岁的周恩来述说了寻找中国共产党的经过，并恳切地提出了入党的请求。周恩来仔细地倾听了他们的申述，答应介绍他们入党。他与中共旅欧总支部另一负责人张申府研究后，征得了党组织的同意，决定吸收朱德和孙炳文为中国共产党党员。从此，朱德获得了新生，走上了一条崭新的革命道路。

朱德从一位滇军将领到成为一名无产阶级的先锋战士，走过了漫长的道路。是什么力量使他勇敢地抛弃高官厚禄，毅然投身革命呢？是对祖国深沉的爱，是对救国救民真理的追求，是对社会主义和共产主义的信念。正如十几年后他给友人的信中所说：“德虽才薄能鲜，爱国当不敢后人……自滇出国后，即以国事为重，实无私生活可言。”朱德胸怀爱国主义走上了共产主义的道路，成为了伟大的无产阶级革命家。

（选自《屈辱的岁月　奋斗的征程》，作者刘宗华）

朱德（1886年—1976年），伟大的马克思主义者，无产阶级革命家、政治家和军事家，中国共产党、中国人民解放军和中华人民共和国的主要缔造者和领导人之一。历任中国工农红军总司令、八路军总司令、中国人民解放军总司令、全国人大常委会委员长等职，1955年被授予元帅军衔，为创立新中国和社会主义事业建立了丰功伟绩。著作有《朱德文选》等。

将我巾帼裳，换你征衣去

——革命家何香凝的故事

《何香凝诗画集》内容丰富，色彩绚丽。其中，最引人注目的是枝条挺拔的青松、寒梅和目光炯炯的雄狮、猛虎。何香凝是一位卓越的女画家，更是一位杰出的女革命家。两类不同题材的诗画，生动地体现了她在革命斗争中所具有的两种极为可贵的品质。

出身富贵　投身革命

何香凝有着不平凡的经历。她题在一幅画有牡丹与石头的画上的一首诗，生动地概述了她的身世：

皎洁无尘石作家，
枝清叶净弃繁华。
前生错种朱门下，
却被人称富贵花。

的确，何香凝出生在香港一个大地产商人的家里，父母给过她一笔不小的财产，她从小过的是富裕悠闲的生活，真可称为“一朵朱门富贵花”。但是她不屑于纵情逸乐的生活。20岁那年，她与廖仲恺结婚。几年后，她变卖了自己的珍宝首饰，资助廖仲恺到日本去求学。随后，自己也毅然东渡，去寻求一种新的生活。

1903 年，何香凝和廖仲恺在东京结识了孙中山。从此，他们就把自己的命运与孙中山的革命事业紧密结合在一起了。

1905 年，孙中山在东京成立同盟会，何香凝成为同盟会的第一批会员。同盟会需要一个秘密集会的地点，孙中山选择了何香凝的家，为了保密起见，提出不要雇佣外人，何香凝高兴地答应了下来。这位富家小姐过去要由别人来侍候，现在却自己生火、洗米、做菜，操持起一切家务。每次开会，她除了看门、照料茶水之外，还要专门负责藏鞋子。日本人有进门脱鞋的规矩。开会人多，鞋子都堆在门口，容易引起日本警察和清政府密探的怀疑，所以她得把鞋子藏起来。平时，她还要为孙中山做好信件的收发工作。她的家成了同盟会秘密的通讯联络站和集会的场所。

同盟会成立后，孙中山加紧在国内组织武装起义，需要有人描绘军旗和安民告示以及各种军用票的图案。鉴于这一情况，何香凝于 1908 年进入日本东京上野的美术学校，认真学起画来，两年以后，她成为了一位极有才华的女画家。辛亥革命前，有几种起义用的军旗，就是她在孙中山的指导下描绘和绣制出来的。这一时期，她画了不少雄狮猛虎，这些威武雄壮的艺术形象，表现了她与反动势力奋战到底的英雄气概。

坚定高洁　不与同流

1924 年 1 月，在苏联和中国共产党的帮助下，孙中山不顾国民党右派的反对，毅然改组了国民党。何香凝和廖仲恺、宋庆龄、柳亚子等国民党左派，坚决拥护孙中山“联俄、联共、扶助农工”的三大政策，把拯救中国革命的希望寄托在国民党和中国共产党的合作上。不幸的是，第二年孙中山病逝了。这以后不到半年，廖仲恺又遭到了国民党右派的暗害。何香凝没有被悲痛所压倒，她决心继承他们未竟的事业，为维护三大政策而继续奋斗。

1927年4月，蒋介石悍然发动了“四一二”反革命政变，彻底背叛了革命。何香凝眼看革命受到挫折，深感痛心。蒋介石为了装潢门面，千方百计地拉拢何香凝。1927年冬，蒋介石与宋美龄结婚，请何香凝当证婚人，何香凝断然拒绝，并拒不参加他们的婚礼。1928年夏，何香凝又辞去了国民党内的一切职务，包括1924年国民党第一次全国代表大会时，她当选的国民党中央执行委员会妇女部长；1926年国民党第二次全国代表大会时，她与宋庆龄一起当选的中央执行委员；同时，她还声明从此不再参加国民党的任何活动。1929年秋，为了摆脱国民党的纠缠，她怀着悲愤的心情离开了祖国。

何香凝曾先后到过伦敦、柏林等地，后来在巴黎居住下来，过上了一种清苦的画家生活。这一时期，她画的狮虎不多了，却画了许多寒冬不谢、冷而弥香的梅花和苍劲高洁、百岁长青的松树。从这以后，一直到中国共产党领导革命取得胜利之前，她没有拿过国民党的一分钱，全靠卖画度日。

举办义卖　集款抗日

何香凝虽身居国外，但时刻惦念着祖国的安危。1931年9月，“九一八”事变爆发，由于国民党政府实行了不抵抗政策，致使中国东北大好河山迅速落入日本帝国主义手里。何香凝在巴黎闻讯后，悲愤之极，心急如焚。她满怀救国救民的心愿，于当年年底返回了上海。

何香凝一到上海，顾不得旅途的疲劳，立即着手撰写《对时局的意见》，怒斥蒋介石的不抵抗政策；同时，倡议上海的画家们合力举办义卖画展，为抗日救亡运动筹集经费。12月27日，义卖画展在东亚酒家的二楼大厅里开幕。展品中除了画家们事先送来的200多幅画外，还有何香凝与其他画家当场合作的近40幅画。会场上挤满了人，许多人认为用高价买下这些展品是对抗战的贡献，于是竞相购买。这时的何香凝已经52岁了，这一天又不巧生了病，但她仍然与他人合力绘画，“补松”“补梅”“补菊”“补竹”“补石”等等。许多画家请她在自己的画幅上“为之增色”，她也总是乐意为之。她还热情地接待参观者，不时地向到会的人鞠躬致谢。许多人都被感动得流下了眼泪。画展进行了一整天，全部展品被抢购一空，画展取得了成功。

组织慰问　激励斗志

1932年1月28日，继“九一八”事变之后，日本帝国主义又发动了对上海的进攻。驻守上海的十九路军不顾蒋介石不抵抗政策的压制，在蔡廷锴将军的率领下毅然对日军进行了英勇的反击。何香凝热血沸腾，立即投入了支援十九路军的活动。

28日当晚，何香凝决定立即把爱国妇女组织起来，并在当夜打电话邀集她们到自己的寓所里开会。29日下午，到会者一致同意何香凝的主张，决定向社会各界募捐，组织妇女到前线慰问，成立救护队抢救伤员。何香凝又给海外华侨发去电报，请求援助抗战，还呼吁上海市各界给保卫祖国的战士以援助。她在自己的家门前贴了一张很大的“告白”，上面写着“在此接受热心的援助”。上海人民接连不断地把钱物送来。30日早晨，何香凝亲自率领由两辆大卡车和几辆小汽车组成的“慰劳队”“抢救队”奔赴前线，车上满载着慰劳品、救护品等。他们到达太阳庙后，热情慰问前线将士，前线将士们十分感动。

复旦大学的一支学生宣传队也来到太阳庙慰问。他们看见了何香凝，就排着整齐的队伍请她讲话。何香凝站在台阶上亲切地叫了一声："孩子们!"便老泪纵横地说不下去了。停了一会儿，她才接着说："中国不会亡! 中国没有愿做亡国奴的人! 我们的老百姓都爱我们的国家! 我们要打败日本侵略军! 你们是国家的主人翁，要为国家争气!"这气壮山河的誓言，深深感动了在场的每一个人。学生们振臂高呼："为反抗侵略、保卫国家不惜牺牲一切!"

民族大义　凛凛冰霜

1935年，中国共产党发表了著名的《八一宣言》，号召停止内战，一致抗日。何香凝坚决拥护这一主张，决心和共产党一起抗战到最后胜利。但是蒋介石仍死抱着"攘外必先安内"的政策，也就是要消灭共产党和红军的力量。对于这种顽固态度，何香凝忍无可忍，她拿来自己的一条裙子，在上面写下了一首题为《为中日战争赠蒋介石及中国军人的女服有感而咏》的诗：

枉自称男儿，甘受倭奴气，
不战送河山，万世同羞耻。
吾侪妇女们，愿往沙场死，
将我巾帼裳，换你征衣去。

然后，把裙子给蒋介石寄去。从此，何香凝不再对蒋介石抱有任何幻想，而把抗日救亡的希望完全寄托在了中国共产党及其领导的人民军队的身上。1938年夏，她与宋庆龄在香港成立了"保卫中国同盟"，一心一意地替八路军和新四军筹款募捐。华侨每捐一笔钱，她就送一张画。她们用这些钱购买了大批物资，源源不断地运往八路军、新四军驻地。

1941年，太平洋战争爆发后，日军占领了香港。何香凝在共产党人的帮助下，离开香港到达桂林。为了抗议蒋介石政府消极抗日、积极反共的反动政策，她拒绝前往重庆。她带着儿媳和孙子，靠养鸡种菜和卖画度日，过着清苦的生活。蒋介石派人送来一张100万元的支票和一封请何香凝去重庆的信。她当即在信封背面批上两句诗：“闲来写画营生活，不用人间造孽钱。”把钱和信原封不动地退了回去。

何香凝是一位杰出的爱国者和革命家，她始终和中国共产党站在一起，同甘共苦，终于在1945年迎来了抗日战争的伟大胜利。

（选自《屈辱的岁月　奋斗的征程》，作者谭天）

何香凝（1878年—1972年），女权运动的先驱之一，民革主要创始人，国民党元老，建立民国的功臣，新中国创始人之一。早年追随孙中山革命，后与共产党合作抗日，反蒋救国。新中国成立后，任全国人大常委会副委员长、政协全国委员会副主席等职。著有《回忆孙中山与廖仲恺》《何香凝诗画集》等。

洗雪国耻　驱帝出宫

——爱国将领冯玉祥的故事

在泰山之麓，有一座壮丽的陵墓，高大的墓碑上刻着一首自题诗《我》：

平民生，平民活。不讲美，不讲阔。

只求为民，只求为国。奋斗不懈，守诚守拙。

此志不移，誓志抗倭。尽心尽力，我写我说。

咬紧牙关，我便是我。努力努力，一点不错。

这里安息着的是一位对中华民族有过贡献的平民将军冯玉祥。

冯玉祥是一位传奇人物，提起他的戎马生涯，人们不会忘却他从士兵到将军的坎坷历程。

冯玉祥自幼就下地割草拔麦，尝尽生活的艰难，11岁起，迫于家庭贫困，在清朝新建的练军中补了兵额，1896年正式入伍。冯玉祥这个名字，还是补兵时管带随手给他写上的。

祖国山河破碎，激发起冯玉祥强烈的民族意识。1900年，他在驻地目击八国联军践踏祖国领土，恣意蹂躏中国同胞。血淋淋的事实在这个年轻人的心里深深地刻上了“勿忘国耻”四个大字。莽莽神州，出路何在？他从孙中山为首的革命党人身上看到了一线希望，便毅然摆脱封建忠君观念的羁绊，投身革命，参与策划了滦州起义。滦州起义不幸失败后，冯玉祥遭到囚禁，被递解保定。

不久，清朝灭亡了。乘机上台的袁世凯急于扩充武力，冯玉祥以故旧关系，被袁世凯的亲信陆建章委任为营长。由于冯玉祥训练有方，在各营会考中一直名列第一，1914 年，他已升任旅长。1915 年底，蔡锷在云南组织护国军，举起讨袁义旗。冯玉祥虽奉命入川防堵，但他机智地同护国军取得了联系，暗中促使川督陈宧在四川宣布独立。他还将自己的部队改称为护国军第五师，正式树起反袁大旗。

袁世凯败亡后，冯玉祥又率领部队粉碎了张勋的复辟阴谋，并同段祺瑞的穷兵黩武展开斗争。在北洋军阀的倾轧下，他为了保存实力，伺机报国，于 1917 年夏率军开赴湘西，进驻常德。冯玉祥驻防常德期间，同孙中山保持着密切联系，抓紧培训武装力量。他在部队中教唱《国耻歌》，并把日本的“二十一条”写成字帖，使官兵们既学习了文化，又不忘国耻。

常德虽然地处偏僻，但也不是安乐土。横行于沅江上的日舰士兵，经常上岸逞凶闹事。有一次，几名上岸的日军蛮横地拒绝冯军战士的检查，还动手打伤执行检查任务的战士。冯军战士用刺刀还击，使 3 名日军受伤。日舰舰长找上门来，强迫冯玉祥必须以日本军法严惩所谓“凶手”。冯玉祥见来者如此蛮横无理，也就不客气地说：“按日本军法处理，这是对中国的侮辱。中国有中国的军法，按中国的军法，这个士兵忠于职守，应赏他个大功!”日舰舰长见冯玉祥不怕威胁，只得软下来，最后同意由双方互派代表看望伤员。

20 世纪 20 年代初，在南北军阀的混战中，任陕西督军的冯玉祥反对内战，主张团结对外，洗雪国耻。然而，他的努力竟被段祺瑞斥之为“妖

言惑众”。1922年10月，冯玉祥调任为有职无权的陆军检阅使，处于投闲置散的境地。次年6月，在英、美的支持下，直系军阀曹锟演出了一幕“贿选总统”的丑剧，从而激起冯玉祥毅然发动了一场革命。

为了推翻直系军阀的反动统治，冯玉祥事先向孙中山表示了“我终必行动”的决心，又联合段祺瑞、张作霖共同行动。约定事成之后，由孙中山主政，段祺瑞主军。

1924年9月5日，孙中山从广东移师北伐，密约冯玉祥及其好友胡景翼、孙岳，配合行动。这时，第二次直奉战争爆发，曹锟任命冯玉祥为讨奉第三军总司令，但又密令胡景翼、孙岳暗中监视冯军。冯玉祥表面上率领部队离京北上，暗中同胡景翼、孙岳商妥了行动计划。冯军行至中途，突然趁其不备，秘密班师回京，日夜兼程，于10月22日深夜，以迅雷不及掩耳之势，将总统府团团围住，“贿选总统”曹锟成了阶下囚。次日清晨，北京市民们发觉大街上站岗的士兵同昨天不一样，都佩戴着“不扰民，真爱民，誓死救国”的白布臂章，方知是冯玉祥将军未鸣一枪，成功地领导了一场政变。

冯玉祥进京后，同胡景翼、孙岳等商定另组国民军，“誓将为国为民效用”，公推冯玉祥为总司令，并立即电请孙中山北上，主持大计。冯玉祥还经李大钊介绍，会晤了苏联驻华大使加拉罕，希望苏联派遣顾问团帮助训练国民军。

这时，冯玉祥还打算乘胜搬掉压在心头多年的一块石头。原来在辛亥革命后，废帝溥仪盘踞在故宫，仍旧沿用宣统年号，还不时发布“上谕”，俨然成了国中之国。更奇怪的是，民国总统上台时，总要派专使前往故宫递送“国书”，问候安好。1922年溥仪大婚时，清官的龙凤仪仗竟然出现在了北京城的通衢要道上，抖足了威风。忧国忧民的冯玉祥，早在粉碎张勋复辟时，就提出要将清室赶出故宫，拔掉这座封建堡垒，只是由于北洋军阀作梗而未果。这次冯玉祥决心完成这一夙愿，他在征得当时摄政内阁的认可后，命令担任警卫总司令的老部下鹿钟麟前往故宫，敦促溥仪接受修改过的优待清室条件：“大清皇帝即日起永远废除皇帝尊号，与中华民国国民在法律上享有同等一切权利，即日移出宫禁。”经再三劝告，溥仪及其皇族终于离开了故宫。

“北京政变”虽然遭到反动军阀、官僚的非议和责难，却得到了革命势力的肯定和赞扬。孙中山特地致电祝贺，并表示即日北上，与冯玉祥等共商建国大计。

孙中山的北上，引起了帝国主义和军阀们的惶恐。在日本的支持下，窃取了“临时执政”权位的段祺瑞勾结张作霖，共同抵制孙中山，并蓄意制造国民军“赤化”的舆论，阴谋消灭国民军。冯玉祥纵然报国心切，但自忖孤军难以扭转政局，更兼孙中山在北京不幸辞世，便怀着痛苦的心情，于1926年元旦发出辞职通电，希图以自己的下野保全20万国民军将士。冯玉祥卸掉军职后，赴苏联考察，从此揭开了他革命历史上新的一页。

（选自《中国现代爱国者的故事》，作者丛越）

冯玉祥（1882年—1948年），爱国将领、民主人士，原籍安徽巢县，生于直隶青县（今属河北沧州），中国国民革命军陆军一级上将，西北军阀。有“基督将军”“倒戈将军”“布衣将军”称号。著有《我的生活》《冯玉祥诗歌选》等。

来者勿忘

——工人运动领袖刘华的故事

1925年5月，上海的日本资本家枪杀了青年工人、共产党员顾正红。顾正红的被害，激怒了上海的工人阶级和各界爱国人士。5月18日，顾正红烈士的灵柩运回闸北潭子湾俱乐部。当时任中华全国总工会执行委员的刘华带领数千名男女工人整队前往。看到自己的阶级弟兄惨遭杀害，工友们在烈士的灵柩前忍不住失声痛哭。刘华手持旗帜，站到椅子上，沉痛地演说，号召工友们牢记阶级仇恨。他带领群众们高呼道："要行凶的偿命!""坚持斗争到底!"

24日，根据中共中央的决策，刘华具体负责筹备召开了公祭顾正红大会。这一天，到会的工人、学生足足有一万多人。会场中央悬挂着顾正红遗像，周围是人们献上的花圈，会场四周张挂挽联、挽幛，中间演讲台的两侧挂着刘华亲笔书写的一副挽联：

工友们团结起来，把斗争进行到底!

惩办杀人凶手，为顾正红烈士报仇!

刘华是大会的总指挥。下午1时许，刘华走上讲台，看到如此空前的集会，不禁心潮澎湃，大声宣告："工人在日本人厂里做工不如牛马，如今日本资本家又用枪随意杀人，工人的生命还有什么保障？我们要罢工到底！为顾正红报仇！”刘华的讲话激起了全场一阵又一阵的口号声：“为顾正红烈士报仇！打倒帝国主义！”充分显示出上海工人阶级团结一致的斗争精神。

工人的斗争首先得到了学生们的支援。5月17日，上海学联执行委员会立即商议援助工人斗争的办法。但学生的援助活动遭到了帝国主义的镇压。就在公祭顾正红那天，上海大学4名学生在赴会的路上被工部局巡捕拘捕；在此之前，文治大学为顾正红烈士上街宣传募捐的学生也遭逮捕。更令人气愤的是，租界会审公堂值堂的英国领事，竟借口“事关日商问题”，非要将学生拘押到30日，由日本领事亲审。

中共中央决定发动学生在30日那天去租界示威演讲，针锋相对地抗议帝国主义对中国学生的迫害。为了贯彻党中央的决策，29日刘华亲自偕同学生宣传代表，到南洋大学向学生们报告顾正红被害经过及工人受压迫剥削的悲惨生活状况。沉痛而又愤激的报告，激起了广大爱国学生的义愤。南洋大学学生会当即拟定《为日本人惨杀华工宣言》，宣称：“我们不但要援助工人，援助被捕学生，我们还要为中华民国争国体，为中华民族争人格。”30日上午，南洋大学及附中的学生队伍最早来到租界。这一天在租界演讲示威的，还有上海大学、复旦大学、同济大学等校的学生3000多人。南京路上宣传队尤为集中，他们擎着“援救被捕学生”“收回外人在华一切租界”的旗帜，三五成群，高声演讲，呼喊口号，散发传单，周围挤满了听讲的市民。

帝国主义被震惊了，租界上的巡捕全数出动，举起警棍殴打、驱逐群众，撕毁标语、传单，逮捕演讲的学生。巡捕把演讲的学生带到老闸捕房，其余的学生也呼喊着口号，跟着涌到捕房。下午3点半左右，老闸捕房已关押了100多名学生，门外聚集的学生群众也越来越多，英国巡捕、印度巡捕竟对学生开枪了。一阵枪声过后，学生被打死13人，打伤数十人。帝国主义者在繁华的上海南京路上制造了震惊中外的五卅惨案。

惨案发生当夜，上海工人在李立三、刘少奇、刘华等领导下成立了上海总工会，实行总同盟罢工。原沪西工友俱乐部改为总工会第四办事处。刘华任总工会副委员长兼第四办事处主任，工作极其繁忙，他常以大饼充饥，晚上就睡在办事处用稻草铺成的地铺上。7月中旬，他忽然接连收到哥哥的来电，催他回家。原来他在四川的家遭到匪劫，弟弟被打死，父亲被抓走，母亲病重，全家惶恐。接到哥哥的来电，刘华心里非常不安，他多么想回家一趟啊！然而他想起这些年来耳闻目睹帝国主义蹂躏下的祖国，不知有多少家庭不得安宁，毅然决定暂时不回家。他给家里回信说："国家衰弱，强邻欺侮，神圣劳工辄为鱼肉，我亦民族分子，我亦劳工分子，身负重任，何以为家？须知有国方有家也。"家里遭遇不幸，更坚定了他反帝斗争的决心。

紧张的斗争、艰苦的生活，使得刘华的肺病日益加重。7月底，中共中央决定让他好好休养。刘华虽然身在病床，心里却时刻惦记着工人阶级的解放事业。10月底病体稍愈，他立即回到战斗岗位。此时斗争形势已经发生了很大变化：总工会已被反动军阀封闭，领导人遭到通缉，工会活动处于秘密状态。刘华勇敢地担负起上海总工会代理委员长的职责，他向工友们表示，工会的活动决不因工会组织被查封而受影响。

刘华以奋不顾身的斗争精神和杰出的宣传组织才能，赢得了全体工友们的爱戴。帝国主义、军阀和大资产阶级则对刘华恨之入骨，派出大量密探加紧了对刘华的搜捕。

转眼间，五卅惨案半周年到了。11月29日，上海的学生、工人、妇女团体等共10000多人，冲破军警阻挠，在西门公共体育场集会纪念，散会时已是下午3点半。回家路上，刘华想着这半年来群众们的斗争虽屡遭摧残，但群众们的爱国情绪反而更加高涨，心里充满了信心。走到静安寺路时，他忽然被租界当局雇佣的两个密探拦住。刘华机警地称自己名叫王本华，在上海大学读书，可是密探仍不放他走，随即把他带到了巡捕房。

狡猾的英帝国主义者当晚就派人指认，确认此人就是他们要缉捕的刘华后，即引渡给当时统治上海的军阀孙传芳的戒严司令部。消息传出后，工会代表们纷纷到戒严司令部要求释放刘华。全上海的工人们准备举行示威。帝国主义、反动军阀和大资产阶级深恐此事导致再一次罢工，遂密谋于 12 月 17 日深夜将刘华杀害，并毁尸灭迹。

刘华的被害激起了猛烈的革命浪潮。上海总工会、上海学联和上海各界妇女联合会等 130 多个团体发表宣言，申讨中外反动派的血腥暴行。工人阶级们发誓：“踏着我们最亲爱、最勇敢领袖的血，继续奋斗!”

1928 年，五卅烈士公墓落成，人们在墓前树起一块高高的纪念碑，上面镌刻着“来者勿忘”四个大字。虽然墓中没有刘华的遗骸，然而刘华这个响亮的名字，是永远不会被人们所忘记的。

(选自《中国现代爱国者的故事》，作者张培德)

刘华 (1899 年—1925 年)，四川宜宾人，五卅运动时上海工人运动领导人之一。曾在上海当学徒，1924 年参与领导沪西工友俱乐部工作，后任上海总工会副委员长、中华全国总工会执行委员。

“我是火花”

——五四闯将高君宇的故事

五四运动中有一位很突出的青年领导者，那就是后来成为中国共产党的领导人之一、当时闻名南北被称为“青年革命健将”的高君宇。

高君宇出生在山西静乐县峰岭底村，他从小就听说帝国主义侵略中国的种种罪行，在他幼小的心灵中早就播下了救国的种子。袁世凯窃取辛亥革命果实就任大总统时，高君宇正在山西省立第一中学读书，他“目击时艰，痛国沉沦”，愤然参加了反袁斗争，不仅写文章、印传单，到街头演讲，还将《袁氏盗国记》等书籍寄回家乡，鼓动家乡人民起来反袁。

1916 年，20 岁的高君宇考进了北京大学，他在李大钊的指导下，开始接触马克思主义。进北大后不到两年，北洋军阀政府和日本签订了《中日共同防御协定》。为了反对这个卖国协定，高君宇、邓中夏等人与中国留日学生组织的救国团一起组织请愿游行。就在这次请愿斗争后，他们组织了全国性的学生团体——学生救国会，还决定出版《国民》杂志。从此，他跟随李大钊，开始研究如何发动群众进行斗争。

行动的日子来到了。1919 年 5 月 1 日，得知巴黎和会上中国外交失败的消息，他们深感震惊。作为北京大学学生会负责人，高君宇四处奔走，联络各处进步青年。晚上，又在北大西斋召集紧急会议，讨论如何采取行动。经过几天准备，5 月 3 日晚上，北大三院礼堂举行了全体学生大会，高君宇在会上慷慨陈词，声泪俱下。参加大会的同学们都被他感动了。深夜散会了，高君宇仍与一些骨干同学商讨第二天游行示威的工作，起草宣言，组织各校的联络。忙了一夜后，5 月 4 日上午，高君宇带领北大的同学们冲出校门，奔向天安门广场。在天安门广场举行大会后，高君宇又带领学生队伍来到赵家楼。他和几个同学一起带头冲进卖国贼曹汝霖的住宅，捉住正在里面的另一个卖国贼章宗祥，把他痛打了一顿，还放火烧了曹汝霖的住宅。

高君宇不仅直接领导了五四游行，还写文章揭露日本的侵略阴谋和北洋军阀的卖国行径。在斗争中，他奔走呼号，积劳成疾。但是他斗志益坚，赢得了广大青年的爱戴。人们赞誉他为“青年革命健将”。

五四运动以后，革命青年提出了一个问题——中国向何处去。高君宇早就在李大钊的领导下接触了马克思主义，他的答案是清楚的，要用马克思主义救中国，要用马克思主义去唤醒民众。因此，高君宇不仅在马克思主义研究会中认真研究它，而且他和邓中夏一起组织了平民教育团，到处演讲、宣传。

在进行马克思主义宣传时，高君宇自己的觉悟也不断提高。1920 年10月，北京共产主义小组成立时，高君宇是最早的成员之一。他还在李大钊的领导下，发起成立了北京社会主义青年团。青年团的成立大会就在高君宇经常办公的北大学生会办公室里举行，出席会议的有 40 人，大家一致推举他为负责人。到第二年 7 月中国共产党成立时，全国只有 57 名党员，高君宇就是其中的一个。

1922 年 1 月，共产国际在莫斯科召开远东各国共产党及民族革命团体第一次代表大会。高君宇作为中国共产党的代表，与瞿秋白等一起从北京来到莫斯科。会议期间，他还受到列宁的接见，听取了列宁对中国革命问题的指示。

这一年5月，中国劳动组合书记部从上海迁到北京。高君宇从莫斯科回国后，便立即在北京投入劳工运动，到长辛店和京汉铁路沿线创办工人子弟学校，组织工人俱乐部和工人联合会，组织工人反对工头、账房、司事的斗争。1923年2月的京汉铁路工人总同盟罢工，高君宇就是领导人之一。罢工被镇压后，他的名字上了北洋军阀政府的黑名单，但是他毫不畏惧，还是写文章揭露北洋政府支持军阀残杀工人，指出“政府只是军阀的政府”。

高君宇坚定的革命态度引起了北洋军阀政府的注意。1924年的一天，他们派出大批军警，将高君宇住的腊库胡同16号的大门口堵住，四面包围。一批军警破门而入，准备抓走高君宇。这时，高君宇正在家中工作，听到砸大门的声音，他知道是敌人闯进来了，便立即将重要文件撕碎，浸入脸盆，再倒进痰盂，然后化装成厨师的模样，逃了出来。

高君宇逃到山西后，山西的阎锡山也奉令派军警对其进行搜捕。高君宇却沉着冷静，在省立第一中学秘密住下，并着手发展党员，成立山西第一个共产党组织。接着，他又在同志们的掩护下，离开山西，经上海到了广东。

在革命遇到挫折时，有些人消极动摇，高君宇却十分坚定。他在给女友石评梅的一封信中说：“都是悲哀者，因悲哀而失望，便走了消极不抗拒的路子；被悲哀而激起，来担当破灭悲哀原因的事业，就成了奋斗的人了。”

为什么他会如此坚定？因为高君宇认为，只有在火热的革命斗争中，才能使自己的生命散发出耀眼的光辉。他在自己的照片上曾写下了几句言志自勉的诗句：

我是宝剑，

我是火花。

我愿生如闪电之耀亮，

我愿死如彗星之迅忽。

当时的广州已是国共合作的革命根据地。高君宇出席了国民党第一次全国代表大会，并积极组织领导广州的反帝爱国斗争。他领导了有名的沙面工人大罢工，迫使英帝国主义取消歧视中国工人的“新警律”。他还组织了广州工团军。当英帝国主义策动商团发动叛乱时，高君宇率领工团军与商团军进行战斗。在激烈的巷战中，他乘坐的指挥车被流弹打穿，他胸侧被打伤。

1924年，冯玉祥在北京发动政变，推翻了曹锟政府，电邀孙中山北上，共商国是，高君宇也随孙中山一起北上。在孙中山北上途中，段祺瑞又控制了北京政府，冯玉祥被排挤出北京。段祺瑞继续投靠帝国主义，准备召开善后会议。中国共产党和孙中山为了反对善后会议，主张召开国民会议。高君宇不顾自己受伤的身体，带病为促成国民会议夜以继日地工作。1925年初，国民会议促进会全国代表大会在北京召开，高君宇也是这次大会的代表。

由于劳累过度，高君宇吐血了，被送入一所德国医院治疗。他虽然人在医院，心里却挂念着革命，还没有治愈，便出院工作了。不久，他又得了急性盲肠炎，不幸于3月5日逝世，年仅30岁。

高君宇逝世后，北京和山西的共产党组织都为他举行了隆重的追悼大会。根据他的遗嘱，遗体安葬在他生前经常秘密活动的陶然亭畔。高君宇死后第3年，石评梅也因病长辞人世，年仅27岁。亲友们把她安葬于高君宇墓旁。从此，这里双碑辉映，被人们称为“高石之墓”。1983 年，陶然亭公园里的“高石之墓”整修一新，并竖立起高君宇与石评梅并肩站立的雕像，供人们瞻仰凭吊。

（选自《中国现代爱国者的故事》，作者王小方）

高君宇（1896 年—1925 年），山西静乐人。1919 年五四运动时为北京大学学生会负责人之一，中国共产党第二届、第三届中央委员，山西共产党组织的创建者，1925 年 3 月因病在北京逝世，葬于陶然亭公园。

她，为了中国而死

——革命烈士刘和珍的故事

在北京158中学校园西侧的庭院中，矗立着一座方柱尖顶的汉白玉纪念碑。碑的正面刻着“三一八遇难烈士刘和珍、杨德群纪念碑”几个大字，供后人缅怀。

刘和珍，号素予，江西南昌人，1926年3月18日在反对八国通牒的群众游行中，被枪杀于执政府门前（今张自忠路），牺牲时年仅22岁。她短暂的一生，是同黑暗反动势力英勇斗争的一生，是追求真理、追求革命的一生。她的牺牲曾震动了整个北京城，成千上万的人冒雪参加了她的追悼会，为她送葬。鲁迅饱蘸愤怒的血泪，挥笔写下了感人至深的文章《纪念刘和珍君》，称她不仅是自己的学生，更是“为了中国而死的中国的青年”。

一

1923年8月的北京，骄阳似火。北京女子高等师范学校正在举行新生入学考试。有一个女考生穿着齐腿肚的褪色蓝衫、灰色长袜、青布鞋，梳着男学生式的短发，圆圆的脸上露着微笑，她就是刘和珍。考试结束后，一同走出校门的张静淑问她想考什么系，刘和珍说：“我想念英文系。我学好了英文，就要翻译一些外国进步书籍到我国来。有些能讲英文的外交官，如李鸿章，却是卖国贼，我最讨厌他。我学好了英文就不会像他那样去办外交。”当刘和珍在校门口新生录取榜上见到自己的名字时，高兴得跳了起来。

入学仅几个月，刘和珍就给老师和同学们留下了深刻的印象。她学习好，思想进步，和同学关系好，很快就赢得了全校同学的尊敬和信赖，入学还不到一年，就被大家推选为学生自治会主席，并成为当时北京学生运动的领袖之一。

刘和珍在学校就读期间，适逢激进的革命民主主义者鲁迅应邀到学校授课。同学们都为鲁迅的到来而感到欢欣鼓舞。选修鲁迅的课的人很多，教室里总是坐满了人，有的同学生病了也坚持听课。刘和珍每次都早早来到教室，坐在第一排或第二排的座位上，聚精会神地聆听鲁迅讲课。她还经常读《新青年》《语丝》等进步刊物，并抽时间去听李大钊主讲的社会学、女权运动史等课。

二

1924 年 2 月底，北洋军阀政府任命杨荫榆为女师大校长，黑暗统治也随之笼罩了女师大。她一进校，首先就不准学生看进步书刊，不许参加校外活动，甚至不许学生高声谈笑。有一天晚上，杨荫榆来检查寝室，刘和珍只得忍痛把保存的几本《新青年》用布包着丢到井里。刘和珍指着她的背影说：“走狗，洋奴。”

这年 11 月，有几名同学回家探亲，因战事耽误，没能按时返校上课。杨荫榆以此为借口，勒令国文系 3 名不听她话的学生退学。学生们派代表与她交涉，她却大骂起来。这一下激起了全校学生的公愤，酝酿已久的女师大风潮由此爆发。学校里出现了“打倒杨荫榆”“打倒洋奴”“反对杨荫榆当校长”的纸条。

1925 年 1 月 18 日，以刘和珍为主席的学生自治会召开全院同学紧急会议，通过决议：从当天起，不承认杨荫榆为校长。由于北洋军阀政府的阻挠破坏，驱杨的事毫无着落。杨荫榆由此恨透了刘和珍、许广平等几个学生干部，她不甘心自动下台，并伺机对学生们进行报复。5 月 7 日，女师大召开“五七”国耻纪念会，杨荫榆登上讲台自任主席，学生自治会派代表与她交涉，请她自重，退出会场。杨荫榆恼羞成怒，拍案大叫，势欲动武。下午她便宴请党羽，密谋陷害学生。

5 月 9 日，杨荫榆在女师大公布处小黑板上贴出文告，开除刘和珍、许广平等 6 人学籍，勒令离校。这下不但全体同学愤怒了，连教师们也愤怒了，他们取下公告牌，查封了校长办公室，禁止杨荫榆入校，风潮越闹越大。尖锐激烈的斗争丝毫动摇不了首当其冲的刘和珍，她愤怒地说：“开除我不要紧，可是杨荫榆不走，学校就不能进步，开除我还要押我回去咧！押我回去，我还来，看她将奈我何!”一席话向大家表示了她坚持战斗到底的决心。

杨荫榆一伙见开除达不到目的，便又酝酿了更大的阴谋。7 月底，学校借口修缮房屋，命令学生们搬出校外，又趁半夜偷偷贴布告宣布解散学生自治会。8 月 1 日，杨荫榆带着军警在堂堂女子学府动武了，他们打进学校，关闭伙房，截断电线，强行解散在斗争中最英勇的 4 个班，迫使学生离校。刘和珍率领全体同学同仇敌忾，宣布绝食，坚持不出校门。军警冲上来打伤了十几名学生。军警的暴行激怒了教师和市民们，各界人士大力声援女师大学生。北洋军阀被迫撤走围困女师大的军警，恢复水电供应，并同意让杨荫榆辞职。但是北洋军阀政府是决不会默许学生们闹学潮的，他们明里让步，暗里却仍在迫害学生。8 月 10 日，北洋军阀政府教育部宣布停办女师大，并重新改组，3次派男女打手400余人，手持短棒砖头，拿着马桶刷冲进学校来，或七八人挟一人，或十几人挟一人，拳打脚踢拖出学校。刘和珍与二十几个同学有的被揪住头发，有的衣裤被扯破，强行拖出学校拉上汽车监禁起来。北洋军阀政府还在校门口挂上国立北京女子师范大学筹备处的招牌，准备重新招收新生。刘和珍和被拉出校门的同学们在鲁迅等进步教师的支持下，在宗帽胡同租房子作为女师大的临时校舍，继续上课并招收新生，坚持复校的斗争。

1925年11月，各地革命群众运动形成高潮，北京城上空响彻“驱逐段祺瑞”的口号声，教育部的官员们都逃到天津租界里躲了起来。教育部被迫明令恢复女师大。30日，在宗帽胡同坚持斗争的同学们回到了学校。

三

北方革命形势的高涨，使驻守在北京地区的直系冯玉祥部不断倾向革命，帝国主义、封建军阀对此都很恐惧。1926年3月，当国民军和亲日派张作霖的奉军作战时，日本帝国主义害怕因奉军的失利而丢掉他们在中国的特权和利益，迫不急待地直接动手了。3月12日，日军派军舰护送张作霖的军舰进入大沽口，并悍然开炮轰击大沽口炮台。国民军奋起还击，把日舰驱逐出大沽口。日本帝国主义反而借口国民军违反《辛丑条约》向中国提出抗议，并纠集英、美、法、意、荷、西、比等国公使，于16日联合向段祺瑞执政府提出最后通牒，要求制止冯玉祥军队在天津、大沽口之间的军事行动，撤销一切防御，限18日午前答复。17日，各帝国主义国家军舰又聚集在大沽口进行武力威胁。

帝国主义的无理要求和强盗行径激起了中国人民的无比愤怒，具有五四光荣传统的北京各界人民，在中国共产党的领导下展开了声势浩大的抗议活动。17日下午，北京200多所学校、团体召开紧急会议，要求段祺瑞执政府驳回帝国主义的最后通牒，决定3月18日在天安门前举行国民大会。

在女师大，刘和珍对同学们说："外抗强权，内除国贼，非有枪不可；军阀不倒，教育事业就搞不好，打倒军阀后，我再当教师不迟。"她号召同学们积极参加这一反帝爱国运动。

3月18日清晨，天空阴沉沉的，刘和珍不顾还在病中的身体，早早就起来了。她先向有关老师请假停课一天，然后招呼大家到礼堂集会，整队去参加大会。刘和珍英姿焕发，高举白底黑字的校旗走在队伍的最前面。

天安门前群情激昂，北京的学生、工人、市民从四面八方涌来参加反对八国通牒国民示威大会。大会主席台前挂着前一天被卫兵打伤的学生的血衣，血衣上写着"段祺瑞铁蹄下的血"8个大字。学生们高唱国民革命歌，高呼口号"打倒帝国主义""反对帝国主义干涉中国内政" "驳复八国无理通牒"，口号声、歌声此起彼伏，回荡在天安门上空。会后，游行队伍经东长安街、东单、米市大街、东四牌楼，浩浩荡荡地向位于铁狮子胡同的段祺瑞执政府进发。游行群众们手拿小旗，沿途散发传单。

刘和珍把校旗扛在左肩上，右手举起拳头边呼口号边大踏步向前走着。沿途马路两旁人山人海，纷纷脱帽鼓掌表示支持。在段祺瑞执政府门前，游行的学生们面对紧关着的大铁栅门高喊："段祺瑞出来!" "要求段祺瑞拒绝八国通牒!"学生们要求会见国务总理贾德耀遭到拒绝。有人提议前往吉兆胡同段宅，话音刚落，突然空中传来了尖利的警笛声，广场的东西两个出口布满了全副武装的警察、军队，他们向手无寸铁的爱国学生下手了。伴随着警笛声，无数子弹射向了请愿群众，站在前排的人倒下了。人群顿时骚动起来，军警挥舞大刀乱砍乱杀。共产党员王一飞一边喊卧倒，一边指挥群众疏散。敌人堵住了街口，向疏散的群众射击，顿时血肉横飞，惨不忍睹。

面对残忍的敌人，刘和珍愤怒了，她对同伴们说："不管什么，我都不怕。"只见她高举校旗昂然站立在人群中，凶恶的敌人把高举校旗的刘和珍作为主要目标开枪了，罪恶的子弹射中了她。她的胸部急促地起伏着，棉袍里渗出鲜血，洒在雪地上，反动军警又用大刀向她砍去。女师大的杨德群也当场被害。十几分钟的时间，已有百余人伤亡。

阴霾的天空仍然飘着雪花，雪花纷纷扬扬洒在烈士们的躯体上。低声呜咽的北风，像是在哭诉卖国政府豺狼般令人发指的暴行。40余位优秀的青年被夺去了生命，他们中最小的只有13岁。200余人身受重伤，受轻伤者不计其数。这就是举国震惊的"三一八"惨案。

全国各地掀起了声讨段祺瑞执政府的抗议活动和声势浩大的追悼死难烈士的活动。在女师大校园内，大家用松枝搭起了牌楼，烈士遗像和灵柩四周摆满了花圈、挽幛。刘和珍的同学、同乡、朋友、学生自治会的战友和学校教师，失声痛哭，他们手持血衣，控诉反动当局的暴行，怀念他们的女英雄、好姐妹。

3月21日，北京成立了废约驱段大同盟，3月22日召开了"三一八"惨案北京各界昭雪会。3月23日北京学生总会通告各校罢课、降半旗，臂戴黑纱一周，同时在北大三院召开追悼大会。在会上，陈毅发表了慷慨激昂的演说，痛斥反动军阀卖国殃民的暴行。北京各界人士还组织了"三一八"殉难烈士公葬筹备处，要求把烈士们安葬在圆明园遗址。段祺瑞执政府污蔑请愿群众是暴徒，断然无理拒绝公葬的要求。在各界人士的力争下，直到1929年，才得以把烈士们的灵柩移到圆明园安葬，并建起了"三一八"烈士公墓墓碑。5年后，女师大师生为了永远纪念刘和珍和杨德群，也筹款在校内树起了纪念碑。抗战期间，为了防止日寇破坏，学校的一位工友把纪念碑深深埋在小院南端，直到日本帝国主义投降，才重新按原址安放。

(选自《北京烈士传》)

刘和珍（1904年—1926年），民国时期北京学生运动的领袖之一，曾先后就读于南昌女子师范学校、北京女子师范大学。她积极参加学生爱国运动，带领同学们向封建势力、反动军阀宣战。1926年，在“三一八”惨案中遇害，年仅22岁。

明察国贼　孤胆反蒋

——诗人柳亚子的故事

1926年5月，国民党在广州召开二届二中全会，确定北伐战争的大政方针，柳亚子也前往参加，整个广州城充满了革命的乐观气氛。但与此同时，蒋介石却正在酝酿着一个大阴谋。

5月15日会议开幕，蒋介石提出了他精心炮制的《整理党务案》。这一提案的主要内容是要把共产党员排挤出国民党中央领导机关，达到篡夺党政大权的目的。当时是国共合作时期，蒋介石的这一突然袭击，使在场的左派大为惊愕。何香凝首先拍案而起，指出孙中山先生逝世不足15个月，尸骨未寒，却有不肖的“党员”为达到自私自利的目的，竟采用这样的手段，实际上是反共、反对联俄，对工农不利。柳亚子在台下满腔愤怒，气得一时说不出话来，就用力鼓掌表示支持何香凝的发言。会后，他和朱季恂一起去见蒋介石，质问蒋介石究竟是孙中山总理的信徒，还是叛徒？为什么不执行三大政策？蒋介石狡辩说，政策和主义不同，主义亘古不变，政策不妨变通，柳亚子当即斥责了蒋介石的这种谬论。

当夜，他来到客尘学旅找当年在国民党第二次全国代表大会上当选为中央执行委员的共产党人恽代英商量。恽代英是柳亚子在上海结交的好朋友。见面后，柳亚子把他与蒋介石见面的情况叙述一番，然后说：“3月间中山舰事件发生，我以为不过是少数右派捣乱。现在看来，蒋介石是幕后人，他有个人野心，应该除掉他。”

“亚子先生，你有什么想法？”

“你能否暗中组织黄埔学校的学生，设法让蒋介石到军校去，然后把他抓起来？”

恽代英听后，笑了起来：“人家说我们共产党是‘过激党’，我看你比我们还要过激呢。蒋介石尚未有叛变行动，他是北伐军总司令和第一军军长，把他抓起来，怕要影响北伐。”

“今天会上蒋的提案正是篡权的端倪。民国元年袁世凯谋取大总统的职位时，我在《天铎报》上写文章反对议和。但文字无灵，大多数人为袁贼所惑，使其窃国成功，这是前车之鉴啊！勿谓秦无人，吾谋适不用。这是社会上最可痛心的预言。你这样的踌躇，将来一旦蒋介石叛变了革命，我们的头不知要被谁砍去呢！”

柳亚子一番慷慨激昂的话，使恽代英不禁动容：“你说的话有道理。中山舰事件后，我们也担着这个心。但是此事关系太大，我不能擅自行动，要向党中央报告后听候决定。”

“好吧。不过此事要尽快决定，时机丧失，大错铸成就难以挽回了。”

离开了恽代英，柳亚子就决定不再出席会议。等了几天，见恽代英没有回音，知道事不可为，他就怀着满腔义愤离开了广州。

返沪后，他即刻回到吴江，向江苏省党部的负责人侯绍裘表示：“应当先除蒋，后北伐。”侯绍裘劝他说：“蒋介石只是右派势力的一个代表，右派不只是他一个人。”柳亚子为人耿直，对蒋介石这个狡诈奸猾、惯使阴谋诡计的反动派实难容忍，却又无可奈何，从此情绪消沉，不问党事。

第二年，北伐军打到上海，柳亚子正在吴江乡下。4月12日，蒋介石果然举起屠刀，背叛革命。蒋介石并没有因为柳亚子身居乡间而放过他，特派了江苏省卫戍司令亲自到吴江搜捕柳亚子。

5月8日半夜，敲门声紧，柳亚子夫人郑佩宜心知有异，她机智、沉着地将柳亚子藏入楼上复壁中。开门后，搜捕者蜂拥而入，一时间，只见屋内、院内和房顶上都布满了人。他们里外搜寻，未能找到柳亚子，适逢柳亚子的妹夫凌诵益在柳家。凌诵益因惊恐说不出话来，敌人说：“对了，是哑巴，就是柳亚子。”于是就将凌诵益捉去南京交差。后来知道抓错了，经由费仲深营救，凌诵益才获得释放。

蒋介石不放过柳亚子，下令通缉他。于是柳亚子改名唐隐芝，由他的夫人和长女柳元非陪伴于5月15日东渡日本避难。

4年后，1930年4月29日，恽代英被国民党反动派在南京狱中杀害。噩耗传来，柳亚子泣不成声，悲痛欲绝，写诗悼念道：

百粤重逢日，
轩然起大波。
我谋嗟不用，
君意定如何？
矢日盟犹在，
回天事已讹。
苍茫挥手别，
生死两蹉跎。

柳亚子是清末的一位秀才，后来成了同盟会会员，此后又担任过孙中山总统府秘书，他爱国的思想始终如一。在第一次国共合作破裂时，他看清了蒋介石这个野心家、阴谋家的嘴脸，以一己的正义，毅然反蒋，真可

以说得上是一个反蒋的孤胆战士。

提起柳亚子的反蒋爱国，还有一个故事是值得讲述的。那是 1940 年末，柳亚子全家离开上海到了香港。不久，搬进了九龙柯士甸道 107 号 2 楼。当时香港的局势还比较稳定，柳亚子在此见到了许多老朋友，如宋庆龄、何香凝、许地山、茅盾等，又结识了胡风、邹韬奋等新朋友，他感到心情很愉快。在上海时，他把自己的住宅叫作“活埋庵”，到香港后改成“羿楼”，过去那种沉闷、压抑的情绪一扫而光。

不料，好景不长。1941 年 1 月 12 日，蒋介石指使顾祝同率 7 个师的国民党军队在安徽泾县围攻新四军部队，拘捕军长叶挺，制造了震惊中外的“皖南事变”。消息传到香港，犹如晴天霹雳，柳亚子非常气愤，立即亲自起草了与宋庆龄、何香凝、彭泽民联名的公开信，揭露“皖南事变”真相，控诉国民党反动派的罪行，信中说：“今兹日寇欲沦我国于殖民地，日寇为我党之敌人，亦正为共产党之敌人。敌人之死敌亦即为我之良友，则我党不应以如何消灭共产党为决定政策的出发点。”义正词严的宣言，引起了全世界的注意和海外侨胞的声援，却使国民党政府大为恼火。

时隔不久，国民党中央请柳亚子到重庆参加中央会议，并派国民党海外部部长吴铁城和留在香港的青红帮头子杜月笙到柳亚子家中充当说客。

“中央这次派我来，请亚子先生到重庆出席参政会议，并转达蒋委员长对你的问候，希望你搬到重庆去，辅佐政府工作。”吴铁城开始很有礼貌地说。

“我是一个闲散的文人，不值得中央如此重视。”柳亚子冷冷地回答道，“不过你既然代表中央，我倒要问你，‘皖南事变’之后，我和孙夫人等呼吁中央纠正错误，为何至今没有回音？”

“新四军事件是共产党不服从中央指挥、图谋不轨所造成的，先生不要听信流言，遭受蒙蔽。”吴铁城一见形势不妙，马上狡辩起来。

柳亚子凛然正色，反驳道：“我并没有受蒙蔽，叶挺将军被捕，上千名新四军将士牺牲，事实俱在，怎么能说是流言呢？有人假统一之名，行排斥异己之实，同室操戈，自毁长城。这种事在1927年我已经经历过一次，现在又故伎重演，如果不改正悔过，中国的抗日前途就要葬送了。”

杜月笙故作聪明地在一旁插话：“柳亚子先生，你是国民党的元老，应该为国民党讲话，怎么反而为共产党做宣传？”

“国民党是孙中山总理建立的，是遵循三民主义的党。现在有人却破坏抗日统一战线，这是背叛三民主义的行为，我决不为这种中央讲话。”柳亚子寸步不让，针锋相对。

吴铁城恼羞成怒，大声威胁说：“柳亚子先生，你如此攻击中央，请考虑一下后果，我要向蒋委员长报告。”

“我宁可被他暗杀，也决不参加这种挂羊头卖狗肉的会议。你们给我出去！”

赶走了吴铁城、杜月笙之后，柳亚子心中怒气未消，他要发表声明指责蒋介石。于是，他马上给蒋介石拍了一封电报。电报中针对蒋介石的反共政策义正词严地说：

……谓当开诚布公，天下予以共见。严惩祸首，厚抚遗黎。然后公开大政，团结友党。涤宦海之颓波，驱禺夷于穷岛……否则三军可以夺帅，匹夫不可夺志。西山采蕨，甘学夷齐；南海沉渊，誓追张陆，不愿向小朝廷求活也……

柳亚子真可谓铁骨铮铮！他要效法伯夷、叔齐的榜样，要步张世杰、陆秀夫的后尘，宁肯饿死，不食周粟，宁可蹈海而死，也不肯屈节。

柳亚子的电报到了重庆，蒋介石恼羞成怒、暴跳如雷，竟以柳亚子

“自离沪抵港之后，发表种种反国策言论”为罪名，开除了他的国民党党籍，企图迫使柳亚子屈服。这一决定尽失人心，引起国民党内大哗。何香凝发表讲话，谴责蒋介石的蛮横、专断行为。中国共产党人吴玉章、林伯渠、张曙时等从延安发电对柳亚子表示慰问和声援。许多朋友到柳亚子家中问候，柳亚子十分坦然，毫无惧色，他说：“出卖国民党的就是他们，我还是而且始终是一个真正的国民党党员，奉行三民主义、三大政策。”

柳亚子为了抗日救国，坚决主张国共合作，不惜被顽固派头子开除出党。他是爱国的，他是以振兴中华为己任的中国共产党人的真正朋友。

（选自《中国现代文化名人爱国故事》，作者肖斌如）

柳亚子（1886年—1958年），著名诗人，江苏吴江人。清末秀才，同盟会会员，南社社长，上海通志馆馆长。新中国成立后任中央人民政府委员、全国人大常委会委员。遗著有《柳亚子诗词选》等。

闪亮的“中华”星

——天文学家张钰哲的故事

在灿烂的群星中，有一颗很小的行星在闪动，人们只能用天文望远镜才能看到它，它的名字叫“中华”。是谁最先发现了这颗新星，并给它起了这么响亮动人的名字呢？他就是我国著名的天文学家张钰哲。

1926年，张钰哲在芝加哥大学叶凯夫天文台进行实地观测，准备考硕士学位。这里只有他一个中国人，他独自在行星观测室里照相、洗印、整理资料。严冬到来的时候，室内不能生火取暖，冷极了。但是再冷也不能让张钰哲离开观测室，他迷恋天上的小行星，急待有所发现，为中华民族争取荣誉。

1928年的一天夜晚，张钰哲和往常一样，站在叶凯夫天文台观测室的天文望远镜前，凝神观察。突然，他那敏锐的目光紧紧地盯在一个光点上。啊！一颗从前没有发现过的新星在闪动！他惊喜万分，简直不敢相信自己的眼睛。

是啊，张钰哲怎能不激动呢！自从1801年意大利天文学家发现了第一颗小行星之后，许多国家的天文学家都不断发现了新的小行星。按照惯例，谁发现新星便由谁来命名。所以天上运行着许多以其他国家的人名、地名、国名命名的小行星，但一直没有中国人命名的小行星。中国的现代天文学事业远远落后了。现在，一颗新星已经出现在中国人的眼前，张钰哲真是太高兴了！

为了证实自己这一发现的准确性，张钰哲又连续观测了15个寒夜，每次都获得了同样的结果。

张钰哲满怀喜悦地给美国行星中心站写了一封信，报告观测的结果。中心站及时回信道：您发现的确实是迄今为止人类从未见过的小行星，我们已在小行星的星历表上把它编为第1125号。它将永载世界的天文史册，请您尽快给它命名吧！

年仅26岁的张钰哲看着这封极不寻常的来信，心情久久不能平静。他想，给这颗可爱的小行星起个什么名字呢？这颗小行星的发现，不仅是我个人的荣誉，也是我们中华民族的骄傲和光荣。我要起一个最好的名字，表达我对伟大祖国的怀念以及我为中华民族争光的赤子之情。

“中华，中华”，多么亲切的字眼啊！张钰哲心想，用“中华”作为小行星的名字真是太好不过了！“中华”星！“中华”星！张钰哲情不自禁地呼叫着。

“中华”星的名字很快报给了行星中心站。从此，“中华”星载入了史册，小行星的发现者中第一次写上了中国人的名字。

新中国成立后，张钰哲一直在紫金山天文台工作，30多年来，张钰哲领导的行星观测室陆续发现了几百颗新星，其中有20多颗已经由国际小行星中心正式编号。现在，太阳系里不仅有“中华”星，而且有“张衡”星、“祖冲之”星、“北京”星、“南京”星、“台湾”星……彰显了新中国天文学事业的蓬勃发展。

张钰哲的突出贡献，不仅受到了祖国和人民的热情鼓励，还受到了国际天文学界的高度赞誉。1978年8月1日，《国际小行星通报》宣布，给新近正式编号的2051号小行星定名为“张”星。通报中说：“哈佛大学天文台1976年10月23日发现的这颗小行星的命名，是为了表示对张钰哲的敬意。”

“张”星的命名，极大地鼓舞了张钰哲为国争光的壮志豪情。

(选自《科学家的美德》，韩其洲编写)

张钰哲(1902年—1986年)，天文学家，福建闽侯人。1923年毕业于清华大学，后赴美留学获博士学位。曾任紫金山天文台台长、中国天文学会理事长。他是我国天文事业的主要奠基人，著有《天文学论丛》等。

收回英租界的斗争

——外交家陈友仁的故事

武汉国民政府外交部部长陈友仁，1927年2月19日与英国公使代表欧玛利签署了一个协定，规定由中国收回英租界。第二天，又签署了收回九江英租界的协定。

自从鸦片战争以来，中国在帝国主义炮舰政策的胁迫下，只有割地赔款的事，从未有过收回权益的事。这次收回英租界，当然成了轰动一时的大事件。

自从大革命开始以来，英国一直对中国采取武装干涉的政策。在上海制造了五卅惨案后，又在广州制造了沙基惨案。北伐过程中，他们又在万县制造惨案。凶恶的英帝国主义是狡猾的，1926年12月18日，英国忽然向驻北京的外交团提出一份对华新提案。英方表示过去的对华政策是错误的，中国要求废除不平等条约是合乎公理的，还表示对中国革命将不加干涉。这究竟是怎么回事呢？

从1927年元旦起，武汉各界人民连续三天庆祝北伐胜利，庆祝国民政府从广州搬到武汉，扩大了反英反奉运动。这三天中，宣传队纷纷出动，在热闹的街头演讲，宣传革命的道理。人民群众欢迎这种革命的宣传，纷纷聚集过来听讲。在汉口的英帝国主义分子却越来越不自在了，到1月3

日，他们再也忍不住了。下午 3 点，大批英国水兵从军舰登岸，如临大敌似的垒沙袋、架电网，还对着中国的民众架起了十几挺机枪。这时，在华界和英租界交界的空地上，聚集着好多群众在听演讲，他们见英国水兵过来挑衅，便有秩序地向华界方向撤退。谁知英国水兵竟然端着上了刺刀的步枪冲进华界，对着人群用刺刀乱戳，用枪托乱砸。一名群众当场被刺死，还有一名群众腹部被刺伤，肠子被刺刀拖出。其他被刺伤、打伤的有数十人。

新提案原来是骗人的，在甜言蜜语后面隐藏着刺刀。现在刺刀亮出来了，群众们被激怒了。

一波未平，一波又起。6 日，传来一个消息：英国水兵在九江又杀害中国人了。这一来，武汉群众更加愤怒了，10 万人在 7 日举行了声势浩大的反英集会。人们知道，有租界的存在，帝国主义就有在中国土地上横行不法的基地。被惨案激怒的中国人民决心要消除这个基地，一场收回英租界的斗争开始了。

在人民群众的强烈要求下，武汉国民政府决定由外交部、交通部、财政部和卫戍司令部组成英租界临时管理委员会。外交部部长陈友仁则立即照会英国领事葛福，表明中国国民政府将接管租界。1 月 8 日，临时管理委员会成立了，陈友仁担任委员长，交通部部长孙科和财政部部长宋子文担任委员。

这时，英方也在积极活动，他们一面通过报纸造谣说中国人“侵犯外侨的生命财产”；一面又由外交大臣张伯伦下令，将汉口英国侨民撤至军舰上，再送往上海，还命令汉口租界的外商停止营业。他们的意图很明显，要破坏租界区内的经济秩序，向国民政府施加压力，同时煽动其他各国一起来对付中国人民。为了揭露英国人的阴谋，陈友仁 1 月 6 日来到英国领事馆，向葛福声明，中国民众是因为英国水兵的暴行才起来示威的，这一行动并非仇视英国侨民。同时，他又约见尚留在汉口的英国侨民代表，向他们解释国民政府保护外侨生命财产的政策，希望他们不要听信谣言。这次谈话稳定了汉口英国侨民的情绪，英国政府制造谣言的阴谋没有得逞。

英方在撤侨的同时，还进行了武力威胁。10日，英国驻威海卫第一舰队的7艘军舰，奉命开往上海，还有16000多名陆军也运往上海。按照英国陆军部的计划，除了要在上海登陆外，还要占领上海以外的重要战略地点。英方从汉口撤侨，实际上是战争行动的一项准备。11日，英国公使蓝浦生派出的两名代表参赞欧玛利和书记达曼到达汉口。他们名义上是来考察汉口事件，可是随他们一起来的，却是好几艘兵舰。停泊在汉口江面的英国军舰实力得到加强后就开始挑衅，其中两艘开足马力行驶，激起的水浪在武穴附近击沉了许多中国的小船。

有了武力做后盾，葛福在欧玛利到达前，已经向陈友仁提出交回租界当局的英国官员。欧玛利到达后，又直接和陈友仁进行谈判。根据鸦片战争以来的经验，英方以为只要一出动武力，中国当局就会屈服。可是，这次与他们打交道的对手是得到民众支持的国民政府。陈友仁又在英国当过律师，对国际法和英国的情况都相当熟悉。因此，交涉的情况与以前完全不一样。陈友仁在交涉的第一回合中，态度就十分强硬，对英方的要求，他答复道：第一，英国兵杀害中国人，应该作出令人满意的道歉，并惩办凶手；第二，租界的存在是破坏中国主权的，革命军愿作出一切牺牲来保卫主权。

为了给英方的顽固态度以打击，陈友仁决心推动社会舆论来配合谈判斗争。22日，他发表了一份对外公开宣言。在这篇宣言中，陈友仁强硬地表示，革命的中国能与任何列强相对抗。英国的新提案中曾表示，他们归还中国主权，是为了适应中国的愿望。陈友仁在声明中驳斥道： 自从中英《南京条约》签订以来，中国的自由独立完全受到了列强的侵犯，现在是要恢复被英国人剥夺的自由。他宣布，这个目的不达到，中国对英国是不可能妥协的。觉醒了的中国，如果不能完全恢复独立，决不会中途而废。声明还说，国民政府尊重守法外侨的利益，但是对帮助侵略、压迫中国人民的外侨，则要以“国际土匪”来对待。

帝国主义是欺软怕硬的，面对武汉当局的强硬态度，英方的态度只得变软了。24 日，英方撤走了对“一·三”惨案负有直接责任的总领事葛福。28 日，蓝浦生又通过欧玛利向陈友仁提交了一份对华新政策，这份新政策被称作对华“第二次宣言”。“宣言”表示英国准备承认中国法庭有资格受理英国人起诉的案件；英国准备按照中国的规定缴税；英国还准备讨论各地英租界的市政管理法，并将租界的警备工作移交给中国当局。

英方被迫改变态度后，谈判就进行得比较顺利了。

1 月 30 日，陈友仁和欧玛利已经谈妥了协定的内容。然而，就在这最后时刻，国民政府得知英国第一批军队已到达上海。这表明，英国并没有放弃武力干涉中国的政策。为了不留下后患，陈友仁立即发表第二次公开宣言，表示在英国武力的威胁下，协定是不能签字的。为了争取国际舆论的同情，陈友仁又在 2 月 5 日向汉口的中外人士发表演说，批评张伯伦的政策是违反当今世界自由独立的原则的。

在向社会公开表示强硬态度的同时，陈友仁在谈判桌上也坚持要讨论英国军队撤出上海的问题，谈判气氛又变得紧张起来。

英方毕竟是理屈的。张伯伦的武力威吓既吓不倒中国人民，也得不到别国的支持，反而在英国国内激起了责问政府的呼声。在这种情况下，张伯伦不得不声明：除了从印度出发的英军在上海登陆外，其余英军仅集中在香港，不再开往上海。14 日，欧玛利将这份声明交给陈友仁，并且当面解释说，英国已经改变了派兵来中国的计划。但是陈友仁还是不让步，他仍对英国军队登陆上海的事提出抗议，并且表示，在这一问题没有得到明确的答复前，不会在协定上签字。

2 月 19 日，欧玛利接到伦敦的训令，指示他接受陈友仁 14 日的抗议。欧玛利不敢耽搁，立即将伦敦训令转告陈友仁。这样，国民政府提出的要求已经达到，陈友仁当天便在协定上签了字。协定规定，英国的市政机关在 3 月 15 日宣布解散，租界的行政工作由中国当局接管。接管前，租界的一切警察、工务、卫生工作，都由中国当局办理。第二天，收回九江英租界的协定也签定了。

以中国人民的坚决斗争做后盾，陈友仁为收回汉口、九江英租界的外交斗争，终于取得了胜利。它在中国人民反帝斗争史上，写下了重要的一页。

（选自《中国现代爱国者的故事》，作者项立岭）

陈友仁（1875 年—1944 年），近代外交家，出生于华侨家庭。1922 年起任孙中山外事顾问，英文秘书。先后任国民政府外交部部长，广州国民政府、南京国民政府外交部部长等职，后居香港被日军拘捕，强迫移居上海后病逝。

一次壮烈的爱国义举

——文学家张恨水的故事

1919年5月18日上午，在芜湖中山路《皖江日报》的编辑室内，一个浓眉大眼、身穿蓝色长衫的年轻人坐在书案前，正准备将昨日芜湖群众抵制日货的事迹撰写成文。他就是《皖江日报》主编、年仅24岁的张恨水。

张恨水品了一口清茶，拿起毛笔，略一沉思，便挥笔疾书起来：

清晨，几股人流高呼着口号，向中山路涌来。临近日本人开办的丸山药店，忽然队伍停住了，散开了，人们把“外争国权，内惩国贼，坚决抵制日货”的标语张贴在建筑物的墙壁上；把写有“若用日货，男盗女娼”的日本草席钉在路旁的电线杆上。尔后，人们把各种各样的日本货物堆积到日本药店门前，一把火点着了，浓烟裹着烈火，腾空而起，越烧越旺。人群沸腾了，而日本药店的老板却吓坏了……

“镗镗镗”，一阵紧促的锣声从大街上传来，打断了张恨水的思路。他放下笔，走出门外，只见昨日焚烧日货的地方，密密麻麻地围着一群人，离人群不远，还站着两个挎盒子枪的安武军士兵。他觉得这事有些蹊跷，便走近人群，挤进去观看。一个稀眉细眼、身材瘦长、40岁开外的“卖艺人”，正在左挪右闪地练着一套拳术。不一会儿，一套拳打完了，

“卖艺人”向围观的群众拱了拱手，开口说道：“兄弟今日借贵方一块宝地，一是献献丑，二是想和诸位说几句话。现在不法工人、学生到处闹事，不是要求什么民主，就是反对东洋人，还要抵制日货……”

他的话还没说完，张恨水就觉得不对劲，人群中也有不少人举着拳头喊起来：“胡说八道，他是个卖狗皮膏药的，他是个媚日派！”那两个士兵见人群骚动起来，忙挤进人群，掏出手枪，向人们喊道：“安静，谁再乱喊，就地正法。”这进一步激怒了周围的群众：“打呀！打这伙东洋人的走狗!”随着喊声，一个鸡蛋从人群中飞了出去，“啪”的一声打在“卖艺人”的脸上，接着土块、瓦片雨点般地向他飞去。

“卖艺人”见势不妙，在两个士兵的保护下，冲出人群，向丸山药店逃去。日本老板一见，忙敞开大门，放他们进去，然后“砰”的一声关上大门，把后面追赶的人群挡在外边。门外，“打倒媚日派”“打倒帝国主义”的呐喊声一阵紧似一阵。门内，日本老板正与南京日本领事馆通话：“喂，喂……这里的中国人，药店门前闹事，请你们派人来……”张恨水也随着人群追到药店门外，想着刚才“卖艺人”狼狈逃窜的样子，感到十分痛快。

次日，正逢阴历五月初五。清晨，一艘日本兵舰吐着黑烟驶进芜湖码头。约一个小队的日本兵爬上岸来，肩上扛着带刺刀的三八式步枪，向城内走来。到了中山路，他们神气起来了，不断举起手中的步枪，狂呼着“大日本帝国万岁”的口号，来回奔走。

日本兵的到来，惊动了中山路，惊动了整个芜湖。丸山药店的门开了，门口上方挂起了日本旗，老板钻出门来，鼓掌助威。《皖江日报》社的门也开了，人们来到街上，聚集起来，怒视着这群日本兵，怒视着药店门口挂起的日本旗，怒视着那个眉飞色舞的日本老板。张恨水愤怒极了，他冲着日本兵走去的方向用力地啐了一口唾沫，狠狠地说道："这是中国土地，岂容外寇猖獗!"

太阳爬高了，夏日炽热的阳光照着大地，照着这群在异国土地上飞扬跋扈的日本兵。他们冒汗了，疲惫了，呼喊声也嘶哑了。在人们愤怒的目光的注视下，他们终于撤回军舰，溜走了。

中午，张恨水带着憋了一肚子气的同仁们回到报社，大家围坐在为纪念屈原而举行的午宴餐桌四周，不说不笑，沉默不语。

张恨水身靠餐桌，自饮自酌，四杯酒下肚，脸发红了，太阳穴上的青筋也突突直跳。他用微微发红的眼睛扫了同事们一下，忽地从椅子上站起来，大声地说："我理解大家的心情。今天，日本人欺人太甚，不说别人，就连我们这些文弱书生，也觉得心中憋气。"

张恨水的话立即引起了众人的共鸣。"张兄，言之有理，'士可杀而不可辱'，你说，我们怎么办吧？"张恨水见大家情绪如此高涨，想了想，问道："今天是什么日子？""五月初五。""纪念什么人？"张恨水又问。"屈原，伟大的爱国诗人屈原。"大家回答。

"对，屈原。他的英名历代不衰，为人民所颂扬，这是为什么呢？这是因为他有一颗忧国爱民的心，有一种坚持正义、不怕牺牲自己的忘我精神……"

张恨水越讲越激动，不知不觉地朗诵起屈原《离骚》中的诗句来："民生各有所乐兮，余独好修以为常。虽体解吾犹未变兮，岂余心之可惩……"开始是张恨水独吟，而后来变成了大家的齐诵。这声音由小到大，冲出房间，向四处蔓延开去。人们振奋了，纷纷离开自己的座位，聚到张恨水身旁，说道："学习屈原，爱国忧民。""好，那我们上街，让日本人看看我们中国人民的力量。"张恨水的建议得到了大家的一致赞同。

下午2时许，一支游行队伍跨出了报社的大门。张恨水举着大旗走在前边，后面紧跟着二十几个报社的同志。这支队伍在大街上一出现，立即赢得了群众的支持，人们从四面八方涌来，有的加入队伍，有的在路旁助威。转眼的工夫，游行队伍变成了长龙，中山路上人潮涌动，从人群中爆发出来的呐喊声、口号声此起彼伏，惊天动地。日本药店的门又关上了，玻璃被砸烂了，日本旗被人们踩在了脚下，日本老板也吓跑了。张恨水把大旗举得更高了，人们的口号喊得更响了……

傍晚，报社的人重摆宴席，共同缅怀伟大的爱国诗人屈原。

这次游行，大长了中国人民的志气，被芜湖人民称为爱国义举。

（选自《中国现代文化名人爱国故事》，作者占国）

张恨水（1895年—1967年），原名张心远，著名作家，安徽潜山人。一生从事新闻工作，著有中、长篇小说100余部，另有诗词、散文4000余篇。主要作品有《啼笑姻缘》《五子登科》等，他的作品具有强烈的爱国思想。

刑场上的婚礼

——工人运动领袖周文雍的故事

1928年3月，在广州红花岗畔的刑场上，两位年轻的男女革命者面对敌人的枪口，从容不迫地举行结婚典礼。这亘古未有的壮举，像一柄锋利的匕首，直刺不共戴天的敌人。这两位气吞山河的革命先烈，就是广州起义行动委员会负责人之一周文雍和当时中共两广区委妇女委员陈铁军。

陈铁军出身于华侨商人家庭。由于五卅运动革命浪潮的冲击，她由一个追求个人上进的大学生，转变为关心国家、民族前途，积极参加进步活动的革命青年，于1926年4月加入了中国共产党。从此，她就在党的领导下，以极大的革命热情投身到反帝反封建斗争的前列。1927年，蒋介石在上海发动“四一二”反革命政变后，广州也发生了“四一五”反革命政变，白色恐怖笼罩着广州。这时，党派她协助周文雍进行工作。周文雍是中共广州市委工委书记、工人赤卫队总指挥，正夜以继日地准备举行武装起义，反抗国民党反动派的屠杀政策。为了工作的需要，党指示周文雍和陈铁军建立秘密联络点，对外假称夫妻，秘密地进行紧张的革命活动。对党的忠诚、对人民的热爱、工作上的互相帮助和生死与共的斗争，把两个年轻的革命者紧紧地联系在了一起。但在当时尖锐、激烈的阶级大搏斗中，他们都以革命事业为重，顾不上去谈个人感情。

1927年12月11日爆发的广州起义失败后，广州陷入血海之中。积极参加这次起义的周文雍和陈铁军，在起义失败后继续在广州坚持地下斗争。由于叛徒的告密，他们二人同时被捕。阴险狠毒的敌人用“吊飞机”“老虎凳”“插指心”等酷刑迫害他们，又用金钱地位、物质享受诱惑他们，妄图摧毁这两个坚强的共产党员的革命意志，迫使他们在“自首书”上签字投降。但是敌人的种种阴谋诡计都失败了，最后就对他们下了毒手。

周文雍在监狱的墙壁上写下了一首不朽的诗篇：

头可断，肢可折，
革命精神不可灭。
志士头颅为党落，
好汉身躯为群裂！

临刑那一天，周文雍和陈铁军昂首阔步地走向刑场。他们沿途高呼“打倒国民党”“打倒帝国主义”“中国共产党万岁”等口号。到了刑场，陈铁军首先向周围的群众道别，然后深情地凝视着亲密的战友周文雍，将自己的围巾披在他的身上。在这生命的最后一刻，他们都为彼此对党的无限忠贞而感到骄傲，他们的爱情此刻也像烈火般燃烧着。他们多么渴望能够永远地相爱下去，并肩携手为党工作、为革命战斗啊！可是，反动派的魔爪立刻就要夺去他们的生命了。这样崇高的革命爱情，不应该让它永远埋藏起来，应该公开告诉人民，以激起人民对反动派的刻骨仇恨，并让广大人民都知道，对于一个共产主义战士来说，生命诚可贵，爱情亦美好，若为革命故，二者皆可抛。陈铁军紧紧依偎着周文雍，怀着满腔激情，高声对周围的群众们说：

“亲爱的同胞们！姐妹们！我们的血就要洒在这里了，为了革命、为了民众的解放、为了共产主义的伟大事业而牺牲。同胞们啊，我们一点儿也不觉得遗憾!”

“同胞们! 过去为了革命的需要，党派我和周文雍同志同住一个机关，我们工作上合作得很好，两人的感情也很深。但是为了革命利益，我们顾不上谈私人感情，因此一直保持着纯洁的同志关系，没有结婚。”

“今天，我要向大家宣布，当我们就要把自己的青春和生命献给党的时候，我们也要举行婚礼了。让反动派的枪声作为我们结婚的礼炮吧!”

周文雍紧紧地和陈铁军并肩站在一起，他们同声高呼：

“同胞们，同志们，永别了！希望你们勇敢地战斗! 共产主义一定会胜利，未来是属于我们的!”

一对党的好儿女，带着对新中国和对共产主义新世界的向往，英勇牺牲了。

（选自《理想·战斗·献身》，国防科工委政治部编）

周文雍（1905年—1928年），工人运动领袖，广东开平人。1925年后从事工人运动和青年运动，参加省港大罢工。曾任中共广州市委组织部部长、广州工人代表大会特别委员会主席等职，广州起义的主要领导人之一。与未婚妻陈铁军同时被捕，英勇就义。

扬子悲歌唱英雄

——革命家向警予的故事

1911年，向警予来到常德女子师范学校读书，后转入湖南省立第一女子师范学校和长沙周南女校学习。1915年9月，向警予猛烈抨击反动当局的腐败政治，反对袁世凯签订的卖国“二十一条”，号召人民起来雪国耻、报国仇。她挥笔疾书：国之危，以官邪之，官之失政，饥寒迫焉。

向警予1918年加入毛泽东等同志组织的新民学会，投身反帝反封建斗争；1919年到法国勤工俭学，接受了马克思主义；1922年初回国后加入了中国共产党，出席过党的二大、三大，当选为第二、三、四届中央委员；她亲自起草了我党关于中国妇女运动的第一个决议。她还担任了中共中央妇女部部长，深入工厂宣传革命真理，发动和组织上海女工斗争。1923年，她创办和主编了《妇女周刊》，写过不少论述妇女解放的文章，号召全国各族妇女为无产阶级夺取政权、妇女获得解放而斗争。

1927年4月，蒋介石、汪精卫叛变革命，对共产党人和革命者进行血腥大屠杀。向警予坚持做党的地下工作，在武汉负责领导革命斗争。1928年3月，经常与她联系的交通员宋若林几天不见了。突然在一个早晨，一伙法国巡捕和国民党士兵进入向警予的住地，抓捕了她。

怒斥洋鬼子

向警予面对敌人的审讯，一口咬定自己叫夏易氏，湖南人，小学教员，因为丈夫出外经商，在家苦闷，到弟弟家住几天。10天过去了，敌人一次又一次提审她，她一直重复着这样的供词。

一天下午，牢房里的铁门突然打开了，出卖向警予的叛徒宋若林礼帽压得很低，来到向警予面前。向警予站了起来，愤怒地盯着他。宋若林结结巴巴地叫着："向……向大姐……"向警予当即打了他一个响亮的耳光，骂道："可耻的叛徒！比狗还不如，党总有一天会惩罚你的!"宋若林像老鼠一样狼狈地溜了出去。

洋法官开庭审判向警予时，拉长声音喊道："开——庭——"向警予猛地转过身来，抢先开口道："这里是中国的土地！你们法国人有什么权利来审判中国的革命者？"还没等洋法官开腔回答，向警予大声喝道："你们法国人不是喜欢讲自由、平等、博爱吗？你们不是强调信仰自由吗？为什么却要干涉我的信仰，剥夺我的自由呢？"洋法官冷笑着说："向小姐，别忘了你是在我们法国的租界上被捕的。"

向警予说："法官先生，恐怕是你忘了吧，这是中国的汉口，不是法国的巴黎!"洋法官叫喊起来："你是罪犯！不许你在法庭上如此嚣张。"向警予义正词严地说："真正的罪犯是你们！你们从万里之外的法国跑到中国来，划定租界、强夺土地、横行霸道、无恶不作，对中国人民犯下了不可饶恕的罪行……"洋法官大声呵斥道："简直是蛊惑人心，一派胡言!"

这时，向警予冷笑了一声，用流利的法语讲起来："胡言？法官先生们，请你们回去读一下法国的小学教科书，看一看法国大革命是怎样惩罚封建统治者的！看一看与人民为敌的路易·波拿巴是怎样垮台的！今天，你们又来干涉我们中国的革命，这不是同当年的普鲁士、奥地利干涉者如出一辙吗？请问，你们难道不怕历史的惩罚吗？”

说到这里，向警予转过身去，对听众席上的旁听者们讲起来：“先生们，女士们！如今豺狼当道，军阀横行，山河破碎，民不聊生。中国共产党要改变中国黑暗、腐败的现状，何罪之有？每一个人都有权关心自己祖国的前途和命运，他们为此而奋起革命，这不仅无罪，而且恰是他们的神圣权利，是决不允许外国人干涉的权利！法帝国主义和国民党反动派狼狈为奸，妄图把中国共产党斩尽杀绝，不过是白日做梦！中国革命一定会胜利，反动派一定会灭亡！”

记者们手中的镁光灯在向警予的脸上闪来闪去，拍摄下了一个个威武不屈的镜头。听众席上议论纷纷，洋法官慌忙宣布休庭。

宁死不屈

1928 年 4 月 6 日，一大群国民党士兵冲进牢房，向警予昂首走了出来。法国领事馆将向警予交给武汉卫戍司令部军法处。一到卫戍司令部，向警予立即被提审，敌人问什么她都不作声。提审员说：“不愿谈这些，那么谈别的也行，谈你最感兴趣的。”

向警予转过身来就说：“我最感兴趣的是马上消灭你们这帮魔鬼！”提审员跳了起来嚎叫道：“我们已经知道你是向警予，你把武汉的共产党名单交出来，给你五分钟！”

向警予笑了笑说：“我知道你们迟早会露出这副凶相的。”随即又说，“不要多讲废话，要杀就杀，至于我是不是向警予没有多大关系。试问，为中华民族争取独立、民主和解放，为无产阶级争取自由、平等和幸福，犯了什么罪？你们动不动就用死来吓唬人，我决不在你们的刀下求生！”

提审员气急败坏地喊道：“来人！给我狠狠地打！”在行刑室里，向警予闭住双眼，咬紧牙关，忍住撕裂般的剧痛，一声不吭，鲜血从她嘴角边流了出来。敌人的皮鞭雨点般地朝她身上打来，她很快昏了过去。刽子手们松开绳子，把她丢在地上，泼上一桶桶冷水。向警予慢慢地苏醒过来，又被刽子手架起绑到铁柱子上毒打。但敌人并没有得到共产党的任何秘密，只好把向警予又押回牢房。难友们看到她血肉模糊，都噙着眼泪围拢过来，给她轻轻敷上鸡蛋和稻草灰等调成的土药膏。向警予支撑着虚弱的身体，劝大家不要难过，鼓励大家斗争到底。

诡计多端的敌人又叫一个国民党军长的太太熊淑彬来劝降。熊淑彬曾同向警予一起去法国勤工俭学，她专程从上海来武汉，劝向警予写个“自首书”，就没事了。

向警予激动地说：“那时候我们满腔热血，憧憬着美好的未来，决心为妇女解放、为劳苦大众奋战一生。可是，后来有人动摇了，有人叛变了，也有人做了国民党政客的夫人，喝着人民的血，过着寄生虫般的生活，跟着丈夫绞杀革命者，早已成了历史的罪人！我死也忠于革命，我有两个孩子，自有党来安排。”熊淑彬受到了向警予的严厉痛斥，敌人的劝降阴谋彻底失败了。

英勇就义

1928 年 5 月 1 日，突然牢门打开了，敌人大声喊道：“向警予!”各个牢房的难友们扑向牢门，高声地呼喊着：“向大姐!”同牢房的难友们紧紧地拉住她失声痛哭。向警予镇静地走出牢房，她转过身大声地说：“同志们! 不要难过。我很高兴在这一天走出牢房，和工人群众一道庆祝无产阶级的战斗节日，我感到很幸福，我们一定会取得胜利!”

反动派害怕人民群众的反抗，下令全市戒严，家家商店关门闭户。敌人押着向警予来到了十字路口，两旁群众把道路围得水泄不通。向警予最后一次演讲道："父老兄弟姐妹们：我是向警予！我是共产党员！反动派马上就要杀死我了，可是革命者是杀不完的，毛泽东同志领导的队伍已经上了井冈山，同胞们团结起来，反动派的日子不会太长了，中国革命很快要胜利了……"

向警予把头一昂，响亮地高呼道："打倒国民党反动派！打倒蒋介石！"敌人用皮鞭抽打她，用手卡她的脖子，堵她的嘴，但她仍高呼着："中国共产党万岁！革命胜利万岁！"

在滔滔扬子江边，向警予在敌人的屠刀下宁死不屈，年仅33岁的她为革命献出了宝贵的生命！中国人民永远纪念她，她在人民心中永生。

1978年，向警予烈士英勇就义50周年的时候，武汉市委举行了向警予烈士迁葬仪式，在汉阳龟山建了陵墓和纪念碑。邓小平同志亲笔题书："向警予烈士之墓。"有关部门还为向警予烈士发行了纪念邮票，出版了纪念专集。

(选自《光照千秋》，林维吉等编)

向警予（1895年—1928年），女，湖南溆浦人，无产阶级革命家，妇女解放运动领导人之一。曾赴法国勤工俭学，后在莫斯科东方大学学习。1922年，加入中国共产党，曾担任中共中央第一任妇女部部长。

砍头不要紧，只要主义真

——革命烈士夏明翰的故事

1928年2月，由于叛徒出卖，夏明翰在武汉被捕。国民党反动派将他关进监狱，给他戴上了几十斤重的脚镣手铐。

反动法官凭着自己多年来的经验，认为青年是容易动摇的，即使理智可以战胜金钱的引诱，但也顶不住酷刑的拷问。他自信双管齐下，一定可以迫使夏明翰就范。

第一次审讯，法官堆着笑脸，假惺惺地说："夏先生，久仰，久仰！今天请先生到此，无非是想交换一点儿看法。依我看来，共产主义不适合中国的国情，所以想劝先生放弃自己的信仰。如果先生愿意与我们通力合作，蒋总司令是不会亏待先生的。"

夏明翰轻蔑地瞟了法官一眼，冷笑道："法官先生，此时此地，我同你谈论共产主义的问题，看来是对牛弹琴。至于你们谈到的蒋总司令，我倒想多说几句。全国人民哪个不知道蒋介石是上海滩上的流氓，国民革命的叛徒，大官僚、大地主、大资本家和帝国主义的走狗，新老军阀的总代表！他屠杀劳苦工农，欠下了千年血债，总有一天，这笔账是要同他算的。"

法官听着，不禁倒抽了一口冷气，说："夏先生，凡事要三思而行。

先生年纪轻轻，上有老母，中有爱妻，下有娇儿，就这么随随便便抛弃亲人，未免太可惜了!”

夏明翰放声大笑，说：“为共产主义奋斗终生，我已不是三思而行，而是百思已定。在这个问题上，法官先生完全不必担忧。”他停了停，扫视了一下坐在审判席上的家伙，豪迈地宣布说：“我们共产党人热爱国家、民族，热爱劳苦工农，当然也热爱自己的亲人。但这一点与你们这些衣冠禽兽完全不同，为了劳苦工农的解放，为了使我们的后代能过上美满幸福的生活，我们随时准备牺牲自己的生命。我们共产党人的这种高贵品德是你们无法理解的。法官先生，事实难道不是这样的吗？”

法官被驳得目瞪口呆，恼羞成怒。敌人用竹尖钉进夏明翰的手指，接着用铁丝穿过他的鼻梁，几乎所有的酷刑都用尽了。夏明翰被折磨得血肉模糊，昏死过去，但他没有屈服。

夏明翰神志不清，被敌人拖进了牢房。难友们围了上去，把自己偷偷保存的药物轻轻地敷在夏明翰的伤处。夏明翰苏醒后，微微睁开眼睛，环顾着周围的难友，凝视着从窗口射进来的一线阳光。他知道自己剩下的时间不多了，他忍着伤痛，用颤抖的手拿起半截铅笔，写下最后几封信，倾诉他对党、对祖国、对亲人的无限深情。

夏明翰想起自己的母亲，这位抚育和支持他走上革命道路的老人，在自己的身上倾注了多少心血啊！现在自己要牺牲了，怎样安抚老人的心？他挥笔写下了这样一段话：

妈妈，你用慈母的心抚育了我的童年，你用优秀古典诗词开拓了我的心田。爷爷骂我、关我，反动派又将我百般熬煎。亲爱的妈妈，你和他们从来都是格格不入的。你只教儿为民除害、为国除奸，在我和弟弟妹妹投身革命的关键时刻，你给了我们精神上的关心、物质上的支持。亲爱的妈妈，别难过，别呜咽，别让子规啼血蒙了眼，别用泪水送儿别人间。儿女不见妈妈两鬓白，但相信你会看到我们举过的红旗飘扬在祖国的蓝天！

夏明翰忘不了夫人郑家钧，这位出身贫苦的绣花女工，在同自己婚后的一年多时间里，积极协助自己开展革命工作。现在，当她知道自己就要牺牲在国民党反动派的屠刀下时，会有多痛苦啊！在这最后的时刻，怎样倾诉自己对她深切的感情呢？夏明翰接着又写下了这样一封信：

亲爱的夫人钧：

同志们曾说世上唯有家钧好，今日里才觉得你是巾帼贤。我一生无愁无泪无私念，你切莫悲悲凄凄泪涟涟。张眼望，这人世，几家夫妻偕老有百年？抛头颅，洒热血，明翰早已视等闲。各取所需终有日，革命事业代代传。红珠留着相思念，赤云孤苦望成全，坚持革命继吾志，誓将真理传人寰！

夏明翰想起大姐明伟和她的两个女儿，又写道：

大姐为我坐监牢，外甥为我受株连，我们没有罪，我们要斗争！人该怎样做，路该怎样走，要有正确的答案。我一生无遗憾，认定了共产主义这个为人类翻身解放造幸福的真理，就刀山敢上，火海敢闯，甘愿抛头颅，洒热血！

他还想写下去，但伤口的剧痛使他又一次昏迷过去。难友们把夏明翰的家书藏好，秘密地转出了牢房。

国民党反动派软硬兼施，没有从夏明翰口中得到任何情报，向上司交不了差，决定对他进行最后一次审讯。

国民党反动派的首席法官故作威严地问：“夏明翰，你有没有宗教信仰？”

夏明翰扶了扶眼镜，不慌不忙地回答道：“我们共产党人不信神、不信鬼，不像你们的蒋总司令，又当基督教徒，又当杀人刽子手!”

“那，你没有信仰？”

夏明翰听出法官话里有话，妄想叫他回答没有信仰，这等于宣布自己放弃自己的信念。他立即理直气壮地回答说：“我信仰共产主义!”

首席法官气急败坏，咬牙切齿地问：“你们的省委机关在哪里，省委委员在哪里，你知道不知道？”

“知道。”夏明翰坦然一笑。

“好，那就快说!”首席法官忙伸长脖子，竖起耳朵听，书记员赶紧拿起笔准备记录。

夏明翰双眼一闭，说：“都在我心里。”

法官们面面相觑，气得发抖，站起来声嘶力竭地问：“夏明翰，你不怕杀头？”

夏明翰仰天大笑：“怕杀头，就不来革命了!”

夏明翰威武不屈的革命意志、大义凛然的回答，击碎了敌人的梦想。国民党反动派要对夏明翰下毒手了。

1928年3月20日清晨，天空布满乌云，“哗啦”一声，监狱的铁门开了。

“夏明翰!”刽子手吼叫着。

夏明翰对此早有思想准备，他艰难地站了起来，迈着沉重的步子走出了牢房。

起来，饥寒交迫的奴隶；

起来，全世界受苦的人!

满腔的热血已经沸腾，

要为真理而斗争，

……

砍頭不
要緊
只要
主義真
殺了
夏明翰
還有後
來人

夏明翰悲壮地高唱着《国际歌》，惊动了牢房里的所有难友。大家聚集在铁窗前，流着惜别的泪水。夏明翰以共产党人的尊严和骄傲，怀着对国民党反动派的深仇大恨，走向刑场。

敌人要夏明翰跪下，他巍然屹立，腰连弯都不弯一下。刽子手又跑过去问他："你还有什么话要讲？"

"有，给我纸笔!"夏明翰抖一抖镣铐大声地说。夏明翰用戴着镣铐的手，抓起毛笔，饱蘸浓墨，在一张雪白的纸上，飞快地写下了气壮山河的就义诗：

砍头不要紧，

只要主义真。

杀了夏明翰，

还有后来人。

写毕，夏明翰将毛笔往地上一掷，厉声喝道："开枪吧!"

（选自《理想·战斗·献身》，国防科工委政治部编）

夏明翰（1900年—1928年），革命烈士，湖南衡阳人。1920年到长沙从事爱国运动，后担任中共湖南省委委员兼组织部部长、中共湖北省委委员等职。1928年2月8日被捕，后遭国民党反动派杀害。

为救中华　血洒龙华

——革命家彭湃的故事

1917年初，彭湃东渡日本留学。五四运动爆发后，他和留日学生们集会响应，遭到日本军警的毒打。为了强烈抗议日方的无理镇压，彭湃毅然啮指血书“毋忘国耻”四个大字，寄回海丰学生联合会，以此激发海丰青年们的爱国热情。

1921年，彭湃从日本回国，领导广东农民运动，并于1927年主持建立了海陆丰苏维埃政府。

1929年，彭湃调到上海，任中共中央农委书记。由于叛徒白鑫告密，不幸于8月24日被捕入狱。

敌人审讯他时，法官审问彭湃的姓名、籍贯、年龄、职业等。他坦然地说，名叫王子安，并编造了一段经历。这时突然跳出来一个家伙说：“你认识我吗？彭湃！我是认识你的呀！”

彭湃像傲雪的青松一样沉着地挺立着，愤怒地说：“你呀！我认得，你是蒋介石的走狗，是屠杀革命人民的刽子手！中国人民决不会饶恕你！一定要把你审判……”在他的痛斥下，这个家伙目瞪口呆，答不上话来，狼狈不堪地溜走了。

彭湃把敌人的法庭变为革命者的讲坛。他义正词严地说：“同胞们，国民党蒋介石叛变革命，出卖国家利益，投靠帝国主义，制造白色恐怖，惨无人道地屠杀共产党和革命人民。这累累血债，我们一定要蒋介石用血来偿还!”“现在毛泽东同志在井冈山创建了革命根据地，成立了苏维埃政权，实行了土地革命，改善了广大工农群众的生活，还有千百万的红军——人民的子弟兵为保卫人民的利益而战斗，为推翻蒋介石的统治而战斗，为打倒国际帝国主义而战斗，为建立中国人民的政府而战斗！同胞们，我们共产党人决心为实现这些目标而战斗到底！我们是不怕流血牺牲的。各界同胞们，联合起来，拥护中国共产党！打倒蒋介石！推翻反动的国民政府！中国共产党万岁！伟大的红军万岁!”

彭湃藐视反动法庭，滔滔不绝地向在场的人发表革命演说，痛斥蒋介石的罪行，宣传我党的革命主张，号召各界人民起来革命，使在场的人深受震动和教育。

8月28日清早，敌人把彭湃等转解到淞沪伪警备司令部，关进龙华监狱。国民党妄图引诱彭湃投降，狡猾的伪军法处处长亲自出面，假惺惺地对彭湃说：“哎哟，真对不起！彭湃先生，你受委屈啦！我们到底是老朋友，是同乡，什么事总是好商量的……”又说，“我一向是很佩服你的！虽然我们两人走的道路不同，其实这也没有什么，人嘛，思想总是可以转变的……”

彭湃愤怒地说：“蒋介石背信弃义，残害人民，出卖国家。我们共产党是代表工农大众的，全国的工农大众在共产党的领导下，一定要向你们讨还血债!”伪军法处长阴险地说：“哎哟！彭先生，你难道忘了，你现在是在什么地方?”

彭湃坚定地说：“我不会忘记，只要还有一口气，我就要为共产主义事业而奋斗!”敌人立刻露出了狰狞的面目说：“好吧，现在摆在你面前的是两条路，要想活就得放弃你那共产主义，不然那就……”

彭湃庄严地说：“我们共产党人懂得应怎样活着。”敌人劝降不成就来硬的，使用各种残酷的刑罚，妄图迫使澎湃屈服，但仍然毫无所获，敌人的阴谋破产了。

彭湃在龙华监狱得到了难友们的关怀，每逢他受了严刑拷打回到牢房，同牢房的难友就急忙扶彭湃躺下，细心地给他包扎伤口。彭湃也关怀着难友们，利用一切机会同他们一起设法和敌人进行斗争。他还对一个看守他们的狱卒进行教育争取工作，通过这个狱卒与外面的党组织取得了联系，从狱卒那里得到了纸、铅笔等。他通过狱卒向党组织报告被捕人员在狱中的表现情况，设法营救同志出狱。他的两个膝盖被敌人压得血肉模糊，但仍勉励难友说：“你们要坚持战斗到底，让共产主义在中国大地上开花!”

1929 年 8 月 31 日，狱卒突然进入牢房，告诉澎湃蒋介石已下令杀害他的消息。彭湃说：“这是意料中的事。”就在这时，刽子手来到牢房门口。机警的狱卒藏好了彭湃让他送给党中央的两份报告之后，就假装破口大骂：“你这个猪猡，今天老子非教训你一顿不可!”狱长摆一摆手说：“算了，算了！彭湃，站出来!”彭湃昂首走出了牢房。年仅 33 岁，风华正茂的彭湃同志在上海龙华英勇就义。

彭湃被害后，周恩来同志于同年 11 月亲率有关部门惩处了叛徒白鑫，设法将彭湃的母亲接到上海，对彭湃的幼子作了安排。在彭湃等烈士牺牲周年纪念时，周恩来同志在《红旗日报》上发表了文章：广大的革命群众虽然看不见他们的领袖的英勇遗体，然而他们的领袖的英勇战绩却永远光明地纪念在每一个人的心中，永远不会淹灭。我们要更痛切更坚决地继续死难烈士的遗志，踏着死难烈士的血迹，一直向前努力，一直向前斗争!

直到取得革命的最后胜利!

1956 年，毛主席和周总理会见了彭湃的母亲周凤老人。老人在艰苦的革命斗争年代坚决支持革命，她的四个儿子、两个儿媳、一个孙子都先后为人民解放事业献出了宝贵的生命。

（选自《光照千秋》，林维吉等编）

彭湃（1896 年—1929 年），无产阶级革命家，农民运动领袖，广东海丰人。历任广东第一届农协副委员长，中共中央政治局委员，中共中央农委书记等职。遗著有《海丰农民运动》。

学界泰斗　人世楷模

——教育家蔡元培的故事

1940年3月5日，蔡元培在香港逝世。中共中央由延安发出唁电，称“先生为革命奋斗四十年，为发展中国教育文化事业勋劳卓著，培植无数革命青年，促成国共两党合作”。毛泽东在唁电中赞誉蔡元培为“学界泰斗，人世楷模”。这一恰当而又崇高的评价，表述了中国人民对这位近代知识界先驱的无限景仰之情。

辞官从学

蔡元培幼年时在叔父蔡铭恩的指导下读书，17岁中秀才，1889年和1890年连中举人、贡士，1892年为翰林院庶吉士，1894年授编修。他在封建仕途上是比较顺畅的。可是蔡元培被外国列强侵略中国的大炮所惊醒，辞官从事教育，转而踏上了革命的征途。

甲午战争后，蔡元培开始接触西学，受到西方资产阶级的影响。戊戌维新运动中，他同情维新派，最佩服其中激进的维新志士谭嗣同。戊戌变法后，他认为变法失败的原因在于不先培养革新的人才，而“欲以少数人弋取政权，排斥顽旧，不能不情见势绌”。1898年9月间，他毅然辞去官职，南下归里。他立意兴办教育，任绍兴中西学堂监督（校长），提倡新学，培育人才。

1901 年《辛丑条约》签订后，蔡元培看到清政府已不可救药，开始倾向反清革命。这年 8 月，他来到上海，任南洋公学教员。1902 年 4 月，他和蒋智由等人发起组织中国教育会，被推为会长。他还曾游历日本，结识了一批中国旅日的革命者，受到民主革命思潮的影响。

公言革命

1902 年秋天，一件轰动上海学界的事使蔡元培的人生道路发生了重大转折，从而使他坚定地走上了革命的道路。

南洋公学是盛宣怀于 1897 年创办的训练洋务人才的学校，这所学校的顽固教师“自尊如天帝，视人如犬马”。第 5 班学生忍无可忍，决定全班退学。时任总教习的蔡元培，向校方力争无效，也愤而辞职。11 月 19 日，中国教育会与退学学生在张园集会，决定成立爱国学社。爱国学社借泥城桥福源里房屋为校舍，推选蔡元培为总理。学生一文不名，教员纯尽义务。蔡元培与蒋智由又筹办了爱国女学。开始学生很少，后来爱国学社社员家中的妇女多人爱国女学就读，学生人数大增。学校办学的方针是“不取贤母良妻主义”，为革命培养人才。蔡元培在女学中大讲法国革命史等，宣传革命。他的目的就是要造就一批搞暗杀的女革命党人，但是这种办法对革命并没有起到积极的作用。

1903 年 4 月 24 日，日本传来消息：广西巡抚王之春为平定游勇，请求驻屯谅山的法兵援助，同时还向亨达利洋行筹借巨款，答应事平之后，用全省路矿权作为酬劳。这一消息震动了留日学生和国内士商，拒法运动随之掀起。25 日，中国教育会、爱国学社、上海绅商 400 余人在张园集会。蔡元培在会上热情宣传，主张成立一个团体，专为反抗法国干涉。不久，得悉法国借兵贷款之事是误传，但俄国兵赖在东北不走是千真万确，于是爱国人士又掀起了拒俄运动。4月30日，张园集会出席者约1200人，蔡元培发表演说，倡议设立国民公会以讨论国事，马君武指挥唱《爱国歌》。正当热血沸腾之时，蔡元培以高昂的声调宣读留日学生来电："俄祸日急，留学生已电北洋主战，结义勇队赴敌，望协助。"随后，商议签名成立上海拒俄义勇队（后改名军国民教育会）。蔡元培脱去长袍，剪了辫子，穿上操衣，与师生一起进行军训。

1904年暑假，蔡元培加入军国民教育会暗杀团，被推为领导人。他采纳一些人的建议，将暗杀团扩大，改组为光复会（又名复古会）。这年冬天，光复会成立，推蔡元培为会长。1905年，蔡元培又加入了孙中山创立的同盟会，被派为上海分会的负责人。他积极发展同盟会会员，加强与会党的联系，徐锡麟、秋瑾、陶成章等革命志士都跟他联络。他在回顾自己走上革命道路时说："35岁以后，受激烈环境影响，遂亦公言革命无所忌，决意参加革命工作。"清末追随孙中山革命的人很多，但以翰林起来革命者，却只有蔡元培一人。

支持"洪水"

1917年，蔡元培出任北京大学校长。1918年11月，在天安门广场庆祝协约国胜利的大会上，蔡元培发表演说。他热情欢呼"平民主义的新纪元"的到来，振臂高呼："劳工神圣！"他对新文化运动的两杆大旗"民主"与"科学"是拥护的。陈独秀等是新文化运动中的带头人物，北京大学的新派。以清朝"遗民"自居的林琴南发公开信、写影射小说攻击他们，蔡元培挺身而出，处处维护他们。当旧势力逼迫蔡元培辞退陈独秀、约制胡适时，他毅然声明："北京大学一切的事都在我蔡元培身上，与陈、胡等毫不相干!”人们对蔡元培的所作所为肃然起敬，因而有人把蔡元培称之为“新思想的保姆”。

1919 年 5 月 3 日，一辆马车飞驶进东城东堂子胡同，北洋政府外交委员长汪大燮从车上跳下来，急匆匆地走进蔡元培住宅，告诉他说：“钱能训内阁已发出密电，命令出席巴黎和会的代表在山东条款上签字。”第一次世界大战中，北洋政府追随协约国，中国也算战胜国。现在战胜国倒要接受屈辱的条约，正义、公理何在？蔡元培越想越气愤。突然他眼前一亮，想到了北大的青年。他坐不住了，立即到校召集学生代表，告诉他们刚才听到的一切。这时，北大学生正在筹办抗议游行，群情激烈，一听到这个消息，立刻决定把原定于 5 月 7 日的游行提前了。

5 月 4 日下午，3000 多名学生在天安门前集会。会后，在“外争国权，内惩国贼”的口号声中游行示威。他们出于义愤，火烧了赵家楼，痛打了章宗祥。北洋军阀当局出动武装警察，逮捕了北大学生 19 名，其他学校学生 12 名，市民 1 名。

5 日、6 日两天，各校校长奔走于教育部和警察厅，他们认为学生爱国无罪，要求释放被捕学生，走在校长们最前头的就是北大的蔡元培校长。5 月 7 日，由于蔡元培以身家性命担保，被捕学生获释了。北大师生点燃鞭炮，奏起军乐，隆重欢迎英雄们回校。

在国务会上，有人威胁蔡元培。蔡元培既同情学生，又感到事情棘手。他深信学生 5 月 4 日的行动是出于爱国之热诚，但又无法与北洋政府立即决裂。于是采取消极抗争的办法，留下一纸辞呈，愤然离京，南下杭州。北大学生一听到校长要走，决定把挽留蔡校长作为爱国运动的一项内容。

6 月 3 日，上海工人、市民、学生行动起来了，全国各地也都随之响应。北洋政府被迫宣布撤去曹汝霖、章宗祥、陆宗舆的职务，中国代表拒绝在《凡尔赛和约》上签字。五四运动胜利了！7月间，蔡元培接受师生的挽请，重回北大。9月12日，蔡元培出席了北大开学式暨欢迎会。司法部部长朱深得知蔡元培回北大，神经紧张地在一次会上说：“诸君不可视蔡元培晋京为一书生，当视为十万雄师!”

五四运动以后，马克思主义在中国广泛传播。1920年3月，北京大学出现了马克思学说研究会。1921年11月，有人起草一个启事，说该会“以研究关于马克思派的著述为目的”，蔡元培同意将启事在《北京大学日刊》上登载。守旧的人说：“今后学校不得太平了!”蔡元培不为所动，还出席了研究会的成立大会。

当时，一些封建顽固派咒骂新思潮为洪水猛兽。蔡元培挺身而出，于1922年4月在《新青年》上发表《洪水与猛兽》一文，针对污蔑，反其意而用之，指出：“我以为用洪水来比新思潮，很有几分相像。它的来势很勇猛，把旧日的习惯冲破了。至于猛兽，恰好作军阀的写照。所以中国现在的状况，可算是洪水与猛兽的竞争。要是有人能把猛兽驯服了，来疏导洪水，那中国立刻就太平了。”蔡元培的态度非常明朗，支持爱国的“洪水”，谴责吃人的“猛兽”。

蔡元培在五四运动时期，协力倡新，提倡学术研究自由，扶持新思潮，大力支持学生的爱国行动。虽然在1927年曾参与蒋介石发动的反革命“清党”活动，但在抗日战争时期，他仍正气凛然，反对蒋介石的独裁统治和对日本妥协投降，坚持保障人权，赞同国共合作，力主全面抗战。他为祖国的教育、科学事业和民主革命做出了重要贡献。在蔡元培逝世后，周恩来写了挽联，精辟地概括了他的一生：

从排满到抗日战争，先生之志在民族革命。

从五四到人权同盟，先生之行在民主自由。

（选自《中国现代爱国者的故事》，作者李妙根）

蔡元培（1868年—1940年），教育家，浙江绍兴人。清光绪进士，翰林院编修。曾参与组织中国教育会、光复会，后加入同盟会。曾任南京临时政府教育总长、北京大学校长、中央研究院院长。“九一八”事变后，与宋庆龄、鲁迅等组织中国民权保障同盟，在香港病逝。著作有《蔡元培选集》。

后　记

中共中央印发的《爱国主义教育实施纲要》指出："进行爱国主义教育必须加强典型宣传，发挥榜样的示范作用。中国历史上涌现过无数的著名爱国者、民族英雄、革命先烈、杰出人物，新中国成立以后又涌现出了许许多多的英雄模范人物，各种新闻传播媒介要经常对他们进行宣传介绍。"党的十八大以来，习近平总书记多次论述进行爱国主义教育的重要性，并特别强调要在广大青少年中开展深入、持久、生动的爱国主义宣传教育。

现在奉献给读者的这本书，旨在贯彻落实党中央和习总书记的指示精神，为广大青少年朋友们提供一本爱国主义题材的优秀课外读物，为广大教师提供一本对学生进行爱国主义教育的生动教材。

本书在广西教育出版社20世纪90年代版的基础上重新编辑，内容作了适当调整和补充。为了便于阅读，由原来的单册改为上、中、下三册出版。本书共收入了古往今来百余名著名人物的爱国故事，均选自国内已正式出版的图书和报刊。为使全书在体例上基本一致，我们在选编时对多数原文的题目作了改动，对一些文章的内容作了校正和适当删减，在此特作说明。

本书的编辑出版，应首先感谢撰写原文的众多作者，是他们原已付出的辛勤劳动和取得的成果，为我们的选编工作提供了极为丰富的内容和资料。但是中国古今名人的爱国故事很多，而本书的容量却有限，我们只能在已经收集到的篇目中，有所取舍，忍痛割爱，致使不少精彩生动的名人爱国故事未能编入，深感遗憾。

著名书法家、教育家欧阳中石先生为本书题写书名，著名科学家、教育家、全国人大常委会原副委员长严济慈先生生前为本书题词。本书得以重新编辑出版，我们应该首先感谢中国文字著作权协会总干事张洪波先生的热情推荐，感谢黑龙江少年儿童出版社社长张立新先生的大力支持，感谢为本书编辑出版付出辛劳的同志们！在此，我们还要特别感谢老领导、原国家教委副主任柳斌同志，不辞辛苦，欣然为本书撰写序言。这充分体现了老教育家对爱国主义教育的高度重视，以及对广大青少年思想政治教育的亲切关怀。

参加本书选编和整理资料工作的，还有刘堂江、黄海春、田菊影、陈晓梅等同志。由于水平有限，如有错误与不妥之处，恳请亲爱的读者朋友们指正。

韩其洲

2016年6月12日